LES ASTROSAURES

Titre original :
ASTROSAURS
DAY OF THE DINO-DROIDS
First published in 2006, in Great Britain by Red Fox, an imprint of Random House Children's Books

Cet ouvrage a été réalisé par les Éditions Milan avec la collaboration de Ccil et de Claire Debout.
Maquette : Bruno Douin (couverture) et Graphicat (intérieur)

300, rue Léon-Joulin – 31101 Toulouse Cedex 9 – France
www.editionsmilan.com
Loi 49-956 du 16.07.1949
sur les publications destinées à la jeunesse.
Dépôt légal : 1er trimestre 2009
ISBN : 978-2-7459-2994-5
Imprimé en Italie par Canale

STEVE COLE

L'attaque des dinodroïdes

ILLUSTRATIONS DE SÉBASTIEN TELLESCHI

TRADUIT DE L'ANGLAIS PAR VIRGINIE CANTIN

MILAN
jeunesse

AVERTISSEMENT !

TU CROIS CONNAÎTRE LES DINOSAURES ?

DÉTROMPE-TOI !

Les dinosaures...
De gros reptiles stupides, lourds et lents. Vrai ?
Qui ne savaient que manger, dormir et rugir de temps en temps. Vrai ?
Qui ont disparu il y a des millions d'années quand une énorme météorite s'est écrasée sur la Terre. Vrai ?

FAUX !

Les dinosaures n'étaient pas stupides. Ils possédaient peut-être de petits cerveaux, mais ils savaient très bien s'en servir et avaient même de grandes pensées et de grands rêves.

Au moment de la chute de la météorite, les derniers dinosaures avaient déjà quitté la Terre pour toujours. Ayant trouvé le moyen de voyager dans l'espace dès la période du Trias, quelques espèces profitaient d'une nouvelle vie dans les étoiles. Aucune preuve de la technologie dinosaure n'a encore été découverte. Mais les premiers fossiles n'ont été exhumés qu'en 1822, et on ne cesse depuis de faire de nouvelles trouvailles. La preuve manquante est quelque part, ensevelie dans le sol.

Aujourd'hui encore, les dinosaures continuent de vivre au loin dans l'espace. Ils se sont installés dans un endroit qu'ils ont baptisé le Quadrant jurassique, et n'ont cessé d'évoluer durant les 65 derniers millions d'années.

Les dinosaures que nous allons rencontrer appartiennent à un groupe spécial appelé l'Agence spatiale des dinosaures. Leur mission : explorer l'espace, combattre le mal et protéger les innocents !

Ces héroïques herbivores ne sont pas de simples dinosaures.

Ce sont les Astrosaures !

NOTE : *L'histoire qui va suivre a été retranscrite à partir d'enregistrements secrets de l'ASD. Les noms terriens des dinosaures y sont utilisés, bien que certaines modifications aient été faites dans le but de faciliter la lecture.*

L'ÉQUIPAGE DU SAUROPODE

Teggs n'est pas un dinosaure ordinaire : c'est un **ASTROSAURE** ! Capitaine du *Sauropode*, un stupéfiant vaisseau spatial de l'ASD, il mène de dangereuses missions et combat le mal avec son fidèle équipage : Gita, Arx et Iggy !

Arx Orano
Premier officier

Gita Saurine
Officier de liaison

Iggy Tooth
Ingénieur en chef

LE QUADRANT JURASSIQUE

ANKYLOS

DIPLOX

STÉGOS

ALLIANCE INDÉPENDANTE DES DINOSAURES

SECTEUR VÉGÉTARIEN

OLYMPUS

SQUAWK MAJEURE

PLANÈTE 60

UNION DES PLANÈTES ASD

PTÉROSAURIA

LAMBÉOS

CORYNTHOS

ATLANTOS

AQUA MINEURE

TRI-SYSTÈME

ESPACE DU REPTILE DE MER

IGUANOS

CRÈCHE PLIOSAURE

ESPACE EXTÉRIEUR

T-REX MAJEURE

TERRITOIRES TYRANNOSAURES

AMAS DE GELDOS

SECTEUR CARNIVORE

ZONE VÉGÉCARNA (ESPACE NEUTRE)

RAPTOS

CRYPTOS

EMPIRE THÉROPODE

MÉGALOS

Pour Samuel Fleetwood
S. C.

Pour Sandrine et Vincent
S. T.

CHAPITRE 1

Le tunnel spatial

Le capitaine Teggs était très inquiet. Le plus souvent, il avait l'impression d'être le roi du monde, ou même de l'Univers. Après tout, il dirigeait le *Sauropode,* le vaisseau vedette de l'Agence spatiale des dinosaures, et disposait de l'équipage le plus compétent et le plus courageux dont un capitaine puisse rêver. Il possédait un garde-manger privé plein à craquer de 300 espèces de délicieuses fougères. Sa vie était une longue et très excitante aventure spatiale – ponctuée de quelques maux d'estomac.

Mais ce jour-là, assis au poste de contrôle du *Sauropode,* Teggs se faisait du souci. Et il avait de bonnes raisons pour cela : l'amiral Rosso, le vieux barosaure bourru responsable de l'ASD, avait disparu.

– J'ai vérifié son emploi du temps, dit Arx, le second de Teggs, en levant le nez de ses écrans. Il est parti à bord de son vaisseau privé pour la planète Trimuda, où il devait passer ses vacances. Depuis, personne n'a eu de ses nouvelles...

Teggs hocha la tête d'un air sombre.

– Il aurait dû rentrer au quartier général de l'ASD hier, lança-t-il en se tournant vers son officier de liaison, une hadrosaure rayée nommée Gita. Rien à signaler ?

– J'ai écouté tous les messages émis et tous les signaux reçus la semaine dernière dans la région de Trimuda... Aucun signe de vie de l'amiral Rosso, soupira-t-elle en posant ses écouteurs.

Teggs mâchonna quelques fougères.

– J'espère que nous le retrouverons sain et sauf, et vite. Le Sommet interplanétaire doit commencer dans trois jours à

peine, et si nous ne sommes pas rentrés au quartier général de l'ASD d'ici là...

– Nous pourrions avoir des ennuis, acheva Gita.

– De sérieux ennuis, même, précisa le capitaine Teggs.

On découvrait sans cesse de nouvelles planètes, aux confins du Quadrant jurassique. Celles qui se trouvaient dans le Secteur végétarien étaient revendiquées par les croqueurs de plantes, tandis que celles du Secteur carnivore venaient agrandir le territoire des mangeurs de viande. Mais toutes les planètes découvertes dans la zone frontière de Végécarna faisaient l'objet de disputes, chaque groupe voulant se les approprier.

Autrefois, on se serait battu pour cela. Mais aujourd'hui, grâce à l'amiral Rosso, les choses étaient différentes. Carnivores et herbivores se rassemblaient chaque année au QG de l'ASD pour participer au Sommet interplanétaire. Là, les dinosaures discutaient au lieu de se battre, et on se partageait équitablement les planètes.

L'amiral Rosso, apprécié pour son honnêteté, était le seul dinosaure auquel les deux camps faisaient confiance. Sans lui, la réunion tournerait sans doute très très mal...

Un bruit puissant fit sursauter les Astrosaures. Les dimorphodons – membres vaillants et dévoués du personnel de bord – gagnèrent leurs positions d'un coup d'ailes, attendant les ordres.

Gita fronça les sourcils en consultant ses écrans.

– C'est Iggy, annonça-t-elle. Il nous envoie un signal d'alerte de niveau 2.

– Quoi ?

Teggs se raidit dans sa cabine de contrôle.

Ingénieur en chef du *Sauropode*, Iggy était très fort en mécanique ; s'il envoyait un tel signal d'alerte, c'est qu'il avait découvert un très gros problème à bord du vaisseau.

– Passez-le-moi !

Le visage renfrogné et écailleux d'Iggy apparut sur l'écran.

– Capitaine, le moteur fait des siennes. Le vaisseau commence à zigzaguer dans l'espace, et je ne peux plus rien contrôler...

– Zigzaguer..., répéta Teggs. Qu'est-ce que tes écrans indiquent, Arx ?

Perplexe, ce dernier tenta de se gratter la tête mais, comme il ne pouvait pas l'atteindre, c'est un dimorphodon qui le fit à sa place.

– Iggy a raison. Nous dérivons...

Arx avait l'air très sérieux.

– Quelque chose nous attire !

– Voyons ce qui se trouve dehors, suggéra Teggs.

Gita siffla un dimorphodon, et le visage d'Iggy disparut de l'écran, faisant place à l'immensité noire et scintillante de l'espace.

– Il n'y a rien d'autre que quelques étoiles et un grand vide noir ! déclara Gita.

– Noir, sans doute, mais vide, certainement pas ! poursuivit Arx en se tournant vers ses amis. Dans l'espace, il n'y a qu'une chose qui soit assez puissante pour en attirer d'autres : un trou noir !

Teggs sauta de son poste de contrôle.

– Un trou noir ? Mais... il n'y a rien de plus dangereux dans l'espace. On ne peut pas y échapper !

Gita était si inquiète que sa crête était devenue bleu électrique.

– Comment se fait-il qu'il ne figure sur aucune carte spatiale ?

– Il est peut-être récent, risqua Arx en consultant ses instruments. En tout cas, il ne ressemble pas à un trou noir ordinaire. On dirait l'entrée d'une sorte de tunnel – un tunnel spatial !

– Oui, et si nous nous laissons entraîner à l'intérieur, qui sait où nous ressortirons ! s'alarma Gita. Nous pourrions bien nous retrouver à l'autre bout de l'Univers !

– Si nous survivons à ce voyage, compléta Teggs. Il faut nous dégager avant qu'il ne soit trop tard !

Un nouveau bruit, plus aigu que le précédent, les fit tous sursauter.

– Alerte de niveau 1, cette fois, souffla Gita. C'est encore Iggy !

Un dimorphodon actionna un bouton à l'aide de son bec, et le visage d'Iggy apparut de nouveau sur l'écran. Des filets de sueur coulaient sur son front écailleux.

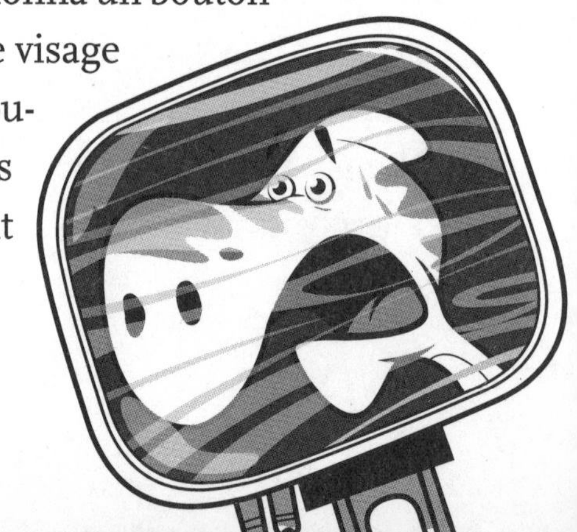

– Capitaine, les carburateurs à fumier tournent à plein régime et pourtant, je n'arrive pas à redresser notre trajectoire ! Nous avançons de plus en plus vite !

– Écoute, Iggy, répondit Teggs, une espèce de tunnel spatial est en train de nous aspirer ! Si nous n'arrivons pas à nous libérer, ce sera très grave. Peux-tu pousser encore un peu les moteurs ?

L'iguanodon déglutit péniblement.

– Il nous faudrait plus de fumier, affirma-t-il. Et vite !

Teggs hocha la tête.

– Gita ! Demande à Cook de servir à tout l'équipage des algues bien gluantes et de la compote.

Iggy ne put s'empêcher de rire.

– Ça devrait fonctionner, capitaine.

Sans tarder, Gita appela le chef cuisinier. Mais le vaisseau avait déjà commencé à trembler, et la température grimpait rapidement.

L'alarmosaure, le ptérosaure chargé de donner l'alarme, s'époumonait :

– Attention ! Alerte rouge ! Finissez votre thé des marécages et cramponnez-vous !

Une horrible pensée traversa alors l'esprit de Teggs.

– Crois-tu que le vaisseau de l'amiral Rosso ait pu être englouti par ce trou noir ?

– C'est probable, en effet, répondit Arx en baissant les cornes. Je crains que nous ne le retrouvions jamais.

Soudain, une violente explosion secoua le vaisseau. Dans la pénombre, le visage charbonneux d'Iggy apparut sur l'écran.

– Laissez tomber le fumier, ordonna-t-il d'un ton amer. Les moteurs n'ont pas supporté la charge. Ils ont carrément lâché !

– Cela signifie que nous allons être aspirés encore plus vite ! cria Arx.

Le vaisseau, qui tremblait de plus en plus, se mit à tournoyer, et les lumières faiblirent. À l'intérieur, la température était suffocante et, au poste de contrôle, même les fougères commençaient à prendre feu. Teggs se dépêcha de les manger avant qu'elles partent en fumée.

– C'est peut-être mon dernier repas chaud! soupira-t-il en se léchant les babines.

Brusquement le vaisseau tangua, et tous les Astrosaures furent jetés au sol.

– Nous prenons de la vitesse! hurla Arx. Plus que dix secondes et nous serons aspirés à l'intérieur du tunnel de l'espace!

– Cramponnez-vous ! cria Teggs. Nous sommes sur le point d'apprendre ce que ressent l'eau d'une baignoire quand on enlève le bouchon...

Comme il prononçait ces paroles, le *Sauropode* plongea la tête la première dans le trou noir.

CHAPITRE 2

Recrachés dans l'espace

Arx et Gita se ruèrent vers le poste de contrôle. Ils s'agrippaient l'un à l'autre quand ils entendirent un bruit de métal froissé. Les dimorphodons se rassemblèrent dans la partie supérieure de l'appareil, puis tout devint noir.

– Nous traversons le tunnel, souffla Arx. Plus vite que la lumière !

Le *Sauropode* tournoyait de plus en plus rapidement, et les Astrosaures avaient l'impression d'être enfermés dans une machine à laver lancée à plein régime. Soudain, le vaisseau resurgit à l'autre bout du tunnel – un peu cabossé, un peu souillé, mais toujours en un seul morceau.

– Nous avons réussi ! s'écria Teggs.

Gita et Arx applaudirent, tandis que les dimorphodons battaient des ailes.

Le vaisseau s'immobilisa, et la température commença à baisser. Quelques lumières se rallumèrent.

– Vite ! lança Teggs, encore ébranlé par ce qui venait de se produire. Nous devons établir notre position.

Gita et Arx se précipitèrent à leurs postes.

– Et je veux un rapport d'incident ! ajouta le capitaine. Plus vite !

Les portes du pont d'envol s'ouvrirent et Iggy, titubant, se glissa à l'intérieur.

– Plus rien ne fonctionne, capitaine !

– Alors, accélérez le mouvement, marmonna Teggs.

– Même l'ascenseur est hors service. J'ai dû emprunter l'escalier.

Iggy, couvert de saletés et de bleus, reprenait son souffle.

– C'était presque pire que de traverser le tunnel de l'espace !

– Je crains que nous n'ayons aucun moyen de savoir où nous nous trouvons, capitaine, annonça Arx en consultant ses écrans de contrôle. Les ordinateurs du *Sauropode* ont été endommagés. Nous pouvons être n'importe où dans l'Univers.

– Même dans le Secteur carnivore, ajouta Teggs d'un ton grave.

Puis l'écran se ralluma. L'image était brouillée, neigeuse, mais les Astrosaures reconnurent tout de suite ce qui s'affichait : une imposante station spatiale, constituée de plusieurs grandes tours reliées par des passerelles métalliques. Une longue poutre, hérissée d'antennes et de paraboles, soutenait le tout.

– Le quartier général de l'ASD ! souffla Teggs. Le tunnel de l'espace nous a recrachés devant notre porte !

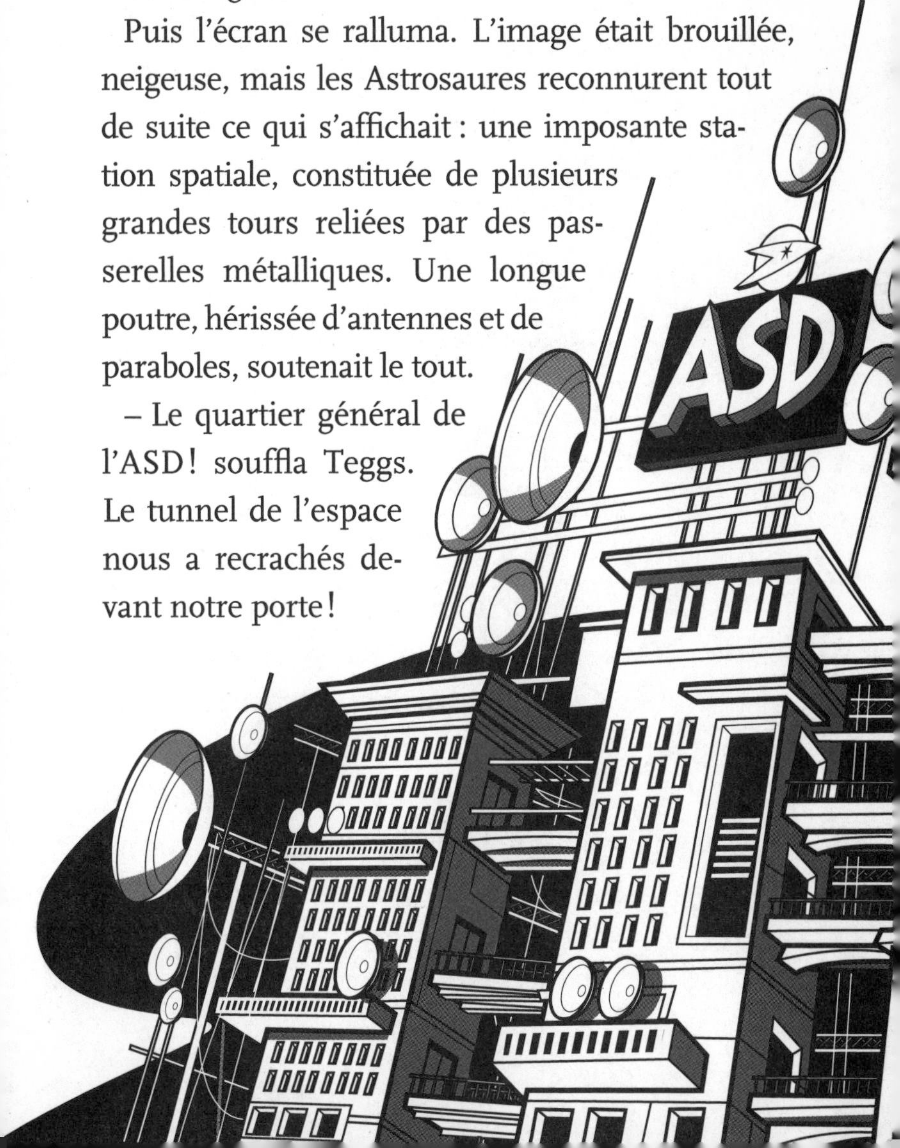

– Nous sommes de retour à la maison ! s'écria Gita, folle de joie.

Iggy entama une danse triomphale, accompagné par les dimorphodons, qui battaient des ailes autour de lui en poussant des pépiements de joie.

Arx, lui, ne quittait pas son écran des yeux.

– Je n'arrive pas à y croire, dit-il. Nos chances de revenir à bon port étaient quasiment nulles !

– Ici le quartier général de l'ASD, *Sauropode,* répondez..., grésilla une voix dans les haut-parleurs du vaisseau. Capitaine Teggs, vous m'entendez ?

Gita appuya sur quelques boutons.

– Nous n'avons presque plus de courant, capitaine, mais je vous passe le QG.

Teggs s'éclaircit la gorge.

– Ici Teggs. Notre vaisseau a été gravement endommagé et nous avons besoin de secours. Nous étions à la recherche de l'amiral Rosso quand...

– Vous me cherchiez, Teggs ? Mais je suis ici, voyons !

La voix grave qui retentit soudain dans les haut-parleurs était reconnaissable entre toutes.

L'image du QG fit place à celle d'un vieux barosaure, qui les regardait gentiment.

– Amiral Rosso ! s'exclama Teggs, soulagé. Vous êtes sain et sauf. Mais comment... ?

Rosso secoua sa petite tête.

– Un peu de patience... Je vais vous faire remorquer jusqu'ici. Une fois que vous serez en sécurité à bord, nous nous raconterons nos aventures. Terminé !

L'écran redevint noir.

Ravi, Teggs s'adressa à ses amis.

– Tout est bien qui finit bien ! lança-t-il gaiement. Bientôt, notre vaisseau sera réparé et nous pourrons reprendre notre chemin. Je vais annoncer personnellement la bonne nouvelle à l'équipage.

– Je vous accompagne ! lança Gita, suivie de près par Iggy.

Seul Arx ne bougea pas, plongé dans ses pensées. Quelque chose disait à cet habitué de l'espace que le danger n'était pas tout à fait écarté...

CHAPITRE 3

Les envahisseurs !

Une heure plus tard, le *Sauropode* était solidement amarré au quartier général de l'ASD. L'amiral Rosso accueillit Teggs, Arx, Iggy et Gita dans son bureau tandis que l'équipage réparait le vaisseau. Les murs et le sol étaient couverts de feuilles de vigne et de légumes, que Teggs s'empressa de grignoter.

Un petit dinosaure à bosses fit son apparition, portant sur son dos un plateau chargé de verres de jus d'herbe et de nectar de marécage bien frais. Une ceinture vert fluo entourait sa taille.

– Voici Droxy, annonça Rosso, mon assistant. C'est un dracopelta.

Les Astrosaures saluèrent Droxy tandis qu'il circulait parmi eux pour leur servir à boire.

– Racontez-nous ce qui s'est passé, amiral ! demanda Teggs, savourant son jus d'herbe avec un rot de satisfaction. Avez-vous été aspiré dans le tunnel de l'espace, comme nous ?

– Pas le moins du monde, Teggs, se vanta le vieux barosaure, en tendant son long cou. Au lieu de me rendre à Trimuda comme prévu, j'ai décidé d'aller pêcher sur Aqua 23 !

– Nous étions tous très inquiets pour vous, amiral, dit Arx. Surtout à l'approche du Sommet interplanétaire...

– Oui, je suis désolé, gloussa Rosso. Je m'amusais tellement que j'ai perdu toute notion du temps. Je suis rentré alors que vous commenciez tout juste à me chercher. Je vous ai envoyé un message pour vous dire d'arrêter les recherches – vous ne l'avez pas reçu ?

Gita fronça les sourcils.

– C'est bizarre. Je croyais avoir écouté tous les messages en provenance de cette région...

– Peut-être ce mystérieux tunnel de l'espace a-t-il brouillé le signal avant même qu'il parvienne jusqu'à vous, mademoiselle ? suggéra Droxy en lui proposant une autre boisson.

– C'est une coïncidence extraordinaire que nous ayons été rejetés précisément ici, constata Arx. Avez-vous remarqué quoi que ce soit d'étrange dans les parages, ces derniers temps ?

– Non, monsieur, pas que je sache, répondit le dracopelta.

– Nous devrions retrouver ce tunnel et le reboucher, suggéra Rosso. Je ne peux pas me permettre ce genre de fantaisie à quelques jours du Sommet interplanétaire.

– Si vous le souhaitez, amiral, je dirigerai cette mission, proposa Teggs.

– Non, non, répondit Rosso en secouant la tête. Après ce que vous venez de vivre, vous avez tous besoin de repos !

Gita s'étira.

– En effet, je suis épuisée...

– Moi aussi, acquiesça Iggy sans pouvoir réprimer un bâillement.

– Amenez-les aux chambres d'amis, Droxy, ordonna Rosso. Nous reprendrons cette conversation plus tard.

Les Astrosaures suivirent le petit dracopelta dans le couloir clair.

Teggs s'arrêta pour brouter un peu de vigne vierge.

– Cela fait une éternité que je ne suis pas revenu au QG de l'ASD. Ça a changé, non ? demanda-t-il.

– Nous sommes en train de tout redécorer pour accueillir le Sommet interplanétaire, expliqua Droxy.

– Il n'y a pas grand monde ici, observa Iggy.

– Tous les membres de l'équipage qui ne sont pas indispensables au fonctionnement du QG ont été renvoyés chez eux, précisa Droxy. Les VID que nous attendons n'apprécient pas la foule.

– Les VID ? répéta Gita d'un air interrogateur.

Droxy hocha la tête.

– *Very Important Dinosaurs* ! Les dinosaures très importants, si vous préférez.

Ils s'arrêtèrent au neuvième étage.

– Votre chambre est par ici, mademoiselle Saurine, annonça Droxy en désignant une porte coulissante. Les autres se trouvent au huitième.

Teggs souhaita bonne nuit à Gita.

– Dors bien, et à demain...

Après lui avoir rendu son salut, Gita regarda s'éloigner ses compagnons, puis ouvrit sa porte. La pièce était spacieuse et agréablement éclairée. Dans un coin, un charmant lit de roseaux et de lys l'attendait. Au moment où elle entra, une violente lumière rouge emplit la pièce et se mit à clignoter. Gita eut une sensation étrange, comme si des aiguilles lui transperçaient le cerveau. Perplexe, elle ferma les yeux.

Lorsqu'elle les rouvrit, la lumière avait disparu.

– Je me demande ce que c'était..., murmura-t-elle.

Puis elle sentit une odeur bizarre lui chatouiller les narines...

– De la viande ! souffla-t-elle. Beurk !

Déconcertée, elle se mit à humer l'air. Il y avait un grand buffet dans un coin de la pièce. Plus elle s'en approchait, plus l'odeur s'accentuait...

Soudain, la porte s'ouvrit et un monstrueux carnivore apparut !

Gita recula, terrorisée par le dinosaure qui se tenait devant elle. Il ressemblait à un T-rex, en plus petit et en plus trapu, mais avec des dents encore plus longues. Il portait un affreux short argenté et tenait entre ses griffes un étrange pistolet laser.

– Je vous attendais, Gita Saurine, siffla le dinosaure. J'espère que mes petites lumières clignotantes ne vous ont pas gênée...

– Pas plus que votre short ! lança Gita.

Puis elle fronça les sourcils et ajouta :

– Ainsi, c'est vous qui avez déclenché ces lumières rouges. Pourquoi ?

Il serra les mâchoires.

– Pour vous prendre quelque chose. Quelque chose que vous êtes la seule à pouvoir me donner.

– Et moi, ce que je vais vous donner, c'est un coup sur le museau ! dit la jeune hadrosaure rayée en levant les pattes.

Comme le carnivore pointait son arme sur elle, Gita se renfrogna et dit :

– Vous ne savez pas qu'il est très mal élevé de tirer sur quelqu'un avant de s'être présenté ?

– Je suis un daspléto-saure, et les daspléto-saures sont très mal élevés ! répondit l'in-trus d'une voix grin-çante.

– Moi aussi, surtout lorsque j'ai affaire à des carnivores dépour-vus de tout sens de la mode !

Le daspléto-saure fit tomber son arme.

– Quel maladroit ! grogna-t-il, contrarié, avant de ramasser son pistolet et de s'élancer vers Gita, ses redoutables mâchoires grandes ouvertes.

Celle-ci fit un bond de côté et s'enfuit à toutes pattes.

Immédiatement, elle lança un appel dans le transmetteur qu'elle portait au poignet :

– Capitaine Teggs, c'est Gita. Un intrus carni-vore est monté à bord ! Un daspléto-saure. Il est armé et dangereux...

Des pas lourds résonnèrent derrière elle, et elle sentit ses oreilles vibrer.

– ... *très* dangereux ! Il était caché dans ma chambre, et maintenant il me poursuit au neuvième étage. Au secours !

La voix de Teggs crépita dans le petit haut-parleur.

– Tiens bon, Gita, nous arrivons !

Gita accéléra dans le dédale des couloirs. Elle s'était entraînée au QG de l'ASD durant des années, et en connaissait tous les raccourcis et les cachettes secrètes. Mais de nombreux couloirs étaient fermés pour cause de travaux, rendant sa fuite plus compliquée. À en croire le bruit de ses pas, le dasplétosaure la suivait de très près.

Gita tourna et déboucha, horrifiée, dans une voie sans issue – un mur où était intégrée une énorme bouche d'aération.

– Je ne me souviens pas de ça ! marmonna-t-elle, en secouant la grille de métal.

Si seulement elle avait pu grimper et se cacher à l'intérieur !

Mais il était trop tard car, déjà, le dasplétosaure l'avait rattrapée et posait ses grosses pattes sur elle. D'une simple secousse, elle se dégagea, mais toute fuite était impossible.

– Maudits bras ! soupira le carnivore en bandant ses minuscules muscles, ses jambes tremblotant dans son short argenté. Même la gonflette ne peut rien y changer ! Enfin... vous m'avez au moins épargné la peine de vous traîner jusqu'ici. À l'endroit précis où je voulais vous conduire !

– Courez pendant qu'il en est encore temps, misérable catastrophe vestimentaire ! menaça bravement Gita. Mes amis arrivent...

Le daspletosaure ricana.

– Il est trop tard pour m'arrêter !

Puis il leva son étrange pistolet et tira.

CHAPITRE 4

Une menace mécanique ?

Teggs courait à toute vitesse dans les couloirs de l'ASD, avec une agilité remarquable pour un stégosaure de près de sept tonnes et huit mètres de long. C'est lui qui découvrit Gita le premier, juste avant Arx, Iggy et Droxy. Elle était étendue sur le dos, les pattes en l'air, devant la bouche d'aération.

– Gita ! s'écria-t-il, tu vas bien ? Que s'est-il passé ?

L'hadrosaure battit des paupières et ouvrit les yeux.

– Oui, capitaine, tout va bien. Que m'est-il arrivé ?

– Eh bien... tu es sûre que tu ne te souviens de rien ? Tu viens de m'appeler pour me dire qu'un carnivore fou te pourchassait !

– Ah bon ? dit Gita en se levant.

Elle semblait complètement désorientée.

– Désolée, capitaine, j'ai dû rêver.

– Dans ce cas, comment se fait-il que tu sois ici, et pas dans ton lit ? demanda Teggs.

Elle haussa les épaules.

– Je dois être somnambule...

Teggs se tourna vers Droxy.

– Fouillez tout le QG à la recherche d'intrus, ordonna-t-il.

– Tout de suite, monsieur, répondit le dracopelta en sortant un objet vert d'une ceinture située sous son ventre. Mon détecteur de vie me signalera toute présence étrangère...

– Comment ? demanda Arx.

– Ce scanner garde en mémoire les rythmes cardiaques et les mouvements cérébraux de tous les membres de l'équipage de l'ASD, expliqua Droxy. S'il croise quelqu'un qu'il ne reconnaît pas, et qui ne devrait pas se trouver à bord, il commence à biper.

Mais l'appareil demeura silencieux.

– Vous voyez ? reprit Droxy en le montrant à Teggs. Pas d'intrus à bord. Mademoiselle Saurine a bien rêvé.

– Je n'en suis pas si sûr..., risqua Arx en examinant la bouche d'aération derrière Gita. Capitaine, cette grille a été démontée récemment.

À son tour, Iggy jeta un œil.

– Il a raison. Ces vis sont desserrées.

– C'est sans doute moi qui ai essayé de la démonter dans mon sommeil ! plaisanta Gita.

– Et ces marques, alors ? insista Arx.

Cette fois, Teggs se déplaça pour voir par lui-même. Il y avait de profondes éraflures dans le métal, autour de la grille.

– Tu ne peux pas avoir fait ça, Gita, dit Arx. Tes griffes ne sont pas assez tranchantes.

– Contrairement à celles d'un carnivore, remarqua Teggs.

Gita s'avança vers la grille, mais elle glissa et tomba dans les bras d'Iggy, qui atterrit par terre, écrasé sous son poids.

– As-tu mangé en cachette toutes les tartes du vaisseau ? grogna-t-il. Tu es plus lourde qu'il n'y paraît !

– Espèce de mufle ! lança l'hadrosaure en se relevant aussitôt.

Arx se pencha vers le sol pour examiner une petite flaque de liquide jaune.

– Tu as glissé sur quelque chose qui ressemble à de l'huile, Gita. D'où cela peut-il provenir ?

Iggy trempa son doigt dedans puis le renifla.

– De l'huile de moteur Robotix ! s'écria-t-il. J'en ai manipulé des tonnes lorsque je travaillais dans les ateliers solaires de l'ASD. Je reconnaîtrais cette odeur entre mille. Et il n'y a qu'une seule chose qui fonctionne avec du Robotix : les robots !

– Des robots ! répéta Arx. Bien sûr !

Teggs fronça les sourcils.

– Que voulez-vous dire ?

– Gita prétend avoir vu un dasplétosaure, récapitula Arx. Or, si l'instrument de Droxy ne peut pas détecter ses battements de cœur ou les mouvements de son cerveau, cela signifie peut-être – je dis bien *peut-être* – que cet intrus est un robot. Une machine, si vous préférez !

Iggy le regarda sans comprendre.

– Un robot carnivore ?

– C'est possible, acquiesça Teggs. Un robot n'a pas de cœur, mais seulement un moteur.

Arx hocha frénétiquement la tête.

– Et un ordinateur à la place du cerveau, ce qui fait que le scanner de Droxy n'a aucun moyen de le détecter!

– Mais, monsieur..., protesta ce dernier, l'ASD est équipé d'un système de sécurité très fiable. Personne ne peut s'introduire ici sans que nous le remarquions, et surtout pas une machine mangeuse de viande!

Il soupira avant d'ajouter :

– Mais à la veille du Sommet interplanétaire, nous ne pouvons prendre aucun risque.

– Exactement, approuva Teggs. Fouillez entièrement le moindre recoin de la station.

– Bien, capitaine, dit Droxy. Monsieur Arx, puis-je vous demander d'informer l'amiral Rosso de tout cela?

– Bonne idée, approuva Teggs. Iggy, va avec lui. Je raccompagne Gita jusqu'à sa chambre, et je vous rejoins.

– À vos ordres, capitaine!

En saluant son supérieur, Iggy envoya une goutte d'huile dans les yeux de Gita.

– Oh... je suis désolé!

Mais, à sa grande surprise, l'hadrosaure ne réagit même pas.

– Ce n'est rien, Iggy. Bonne nuit.

Ce dernier la salua et sourit.

– Bonne *nhuile* !

Gita se retourna et s'éloigna sans répondre.

Elle se comportait de manière étrange, songea Iggy, perplexe. Sans doute était-elle plus bouleversée par cet incident qu'elle voulait bien le laisser voir. Mais, si elle avait *vraiment* rencontré un dinosaure robot, comment était-il possible qu'elle ne s'en souvienne pas ?

Comme Arx et Iggy approchaient du bureau de l'amiral Rosso, une ptérosaure vola dans leur direction depuis l'autre bout du couloir.

– L'amiral n'est pas là, grinça-t-elle. Il est dans la salle 202.

– La salle 202 ? s'étonna Arx. C'est un atelier situé au deuxième étage, n'est-ce pas ? Que fait-il donc là-bas ?

– Il doit bricoler, suggéra Iggy.

Ils prirent l'ascenseur jusqu'au deuxième étage. Arx avait l'impression que toutes les pièces étaient fermées pour travaux.

– J'espère qu'ils auront fini de repeindre avant le début du Sommet interplanétaire, dit-il comme ils s'arrêtaient devant la salle 202.

La porte s'ouvrit brusquement.

– Amiral Rosso ? appela Iggy.

Pas de réponse. Arx et Iggy s'avancèrent dans la pièce. L'atelier était rempli de fumée et d'étincelles. On entendait le bruit des machines, et une inquiétante lumière rouge, très vive, clignotait sans cesse...

Les deux amis eurent une curieuse sensation. Arx avait l'impression que sa tête était pleine de brouillard, et Iggy qu'une armée de perce-oreilles dansait à l'intérieur de son crâne. Puis la lumière rouge disparut et ils commencèrent à chercher l'amiral Rosso.

Iggy perçut un mouvement à travers le rideau de fumée.

– Regarde là-bas ! dit-il en pointant une silhouette du doigt. C'est sûrement lui. Mais je me demande ce qu'il fabrique...

Dans un coin de la pièce, quelqu'un martelait un grand objet de métal. Un objet très long, de huit mètres environ, plein de câbles et de moteurs.

De grands panneaux d'acier couraient le long de l'axe central et une queue métallique brillante, à l'extrémité pourvue de piquants, gigotait en bruissant.

– On dirait un stégosaure en métal ! souffla Arx. Sans doute une statue du capitaine Teggs.

Iggy hocha la tête.

– Une statue ? Je dirais plutôt... un robot !

– Amiral ? appela Arx. Pouvons-nous vous parler un instant ?

Soudain, une grande silhouette menaçante surgit de derrière la sculpture étincelante. Ce n'était pas l'amiral Rosso, mais un daspletosaure, en tous points semblable à celui que Gita avait décrit !

Le carnivore portait des lunettes de soleil et un horrible short argenté. Dans une main, il tenait une lampe à souder, et dans l'autre, un étrange pistolet...

Iggy avala sa salive.

– Et lui, tu crois que c'est un robot ?

– Bienvenue dans mon repaire, messieurs, siffla le dasplétosaure. J'espère que mes petites lumières clignotantes ne vous ont pas trop importunés. Grâce à elles, j'ai obtenu de vous tout ce que je désirais !

– Ah oui ? gronda Iggy, en serrant ses poings écailleux. Eh bien, permettez-moi de vous offrir un petit supplément !

Suivi de près par Arx, il s'élança bravement vers le carnivore, mais celui-ci les foudroya immédiatement de son pistolet laser, et ils s'effondrèrent.

Le dasplétosaure éclata de rire et agita sa queue argentée, avant de se tourner vers son effrayant robot stégosaure.

– Maintenant que j'ai réglé leur compte à vos amis, à nous deux, capitaine Teggs !

CHAPITRE 5

Une terrible découverte

Teggs raccompagna Gita à sa chambre. Il inspecta soigneusement les lieux, mais ne trouva nulle trace du passage d'un autre dinosaure. Était-il possible que Gita ait inventé toute cette histoire ? L'huile avait-elle été répandue par un aspirateur robotisé, par exemple ? Les éraflures sur la grille d'aération avaient-elles été faites par des ouvriers maladroits ?

Impatient d'en savoir plus, Teggs se dirigea vers le bureau de l'amiral Rosso pour y rejoindre Arx et Iggy, et fut étonné de ne pas les trouver.

– Je n'ai reçu aucune visite, lui dit Rosso. Ma ptérosaure est-elle là ? C'est elle qui prend tous mes rendez-vous d'habitude.

Teggs soupira.

– Pourquoi tout le monde disparaît-il, par ici ?

Rosso prit place à son grand bureau de bois.

– Arx et Iggy désiraient me voir ? demanda-t-il.

Teggs raconta ce qui était arrivé à Gita, et évoqua la théorie des robots avancée par Arx. Mais Rosso se contenta d'en rire.

– Mon cher Teggs, tout cela est un peu tiré par les cheveux, vous ne trouvez pas ?

Il renifla avant d'ajouter :

– Des dinodroïdes ? Ici, au quartier général ? Jamais ils ne parviendraient à s'introduire à bord !

Teggs déracina un petit arbre et se mit à le mâchonner d'un air maussade.

– Peut-être pas, amiral, mais j'ai demandé à Droxy de fouiller le vaisseau, au cas où...

Rosso acquiesça.

– Nous ne saurions nous montrer trop prudents, surtout à l'approche du Sommet interplanétaire. Il serait fâcheux qu'un incident vienne perturber une manifestation aussi soigneusement préparée, n'est-ce pas ? Tenez-moi au courant.

– Oui, amiral !

Teggs engloutit les dernières feuilles de l'arbuste, recracha une brindille et salua son supérieur. Lorsqu'il quitta le bureau, le transmetteur qu'il portait au poignet se mit à biper.

– Capitaine Teggs ? Ici Droxy. J'ai fouillé tout le vaisseau du premier au cinquième étage. Aucune trace d'intrus dasplétosaure jusqu'à maintenant.

– Avez-vous vu Arx et Iggy ?

– Mais... je les croyais dans le bureau de l'amiral Rosso ? répondit Droxy, perplexe.

– Non. À moins qu'ils ne soient cachés sous la table ! plaisanta Teggs. Bien, poursuivez les recherches... et soyez prudent. Terminé !

Il s'avança dans le couloir. Privé de ses occupants habituels, le QG était étrangement calme. Teggs porta son transmetteur à son bec et appela :

– Arx ? Iggy ? Où êtes-vous ?

Personne ne lui répondit.

Ils étaient peut-être allés chercher quelque chose dans leur chambre, songea Teggs en entrant dans l'ascenseur et en appuyant sur le bouton du huitième étage.

Quand les portes s'ouvrirent, il tomba nez à nez avec Gita.

– Salut, dit-il, légèrement désorienté. Je croyais que tu te reposais.

– Je suis venue pour vous conduire jusqu'à Arx et Iggy, l'informa-t-elle.

– Ah oui ? C'est parfait ! Où sont-ils ?

– Ils vous attendent dans un atelier du deuxième étage. Suivez-moi ! Oups...

Gita glissa sur quelque chose et se cogna la tête contre le mur avec un petit cri.

– Ça va ? demanda Teggs. Sur quoi donc as-tu glissé ?

– Rien.

– C'est encore de l'huile ! constata Teggs. D'où peut-elle bien provenir ?

Soudain, il aperçut une étrange tache gluante sur la hanche de Gita.

– Tu en as ici aussi. Gita, tu t'es baignée dedans, ma parole !

– Ne dites pas de bêtises, capitaine, lâcha-t-elle en se retournant vivement.

Teggs la regarda et écarquilla les yeux.

– Là où tu t'es cogné la tête, il y a... un creux.

L'hadrosaure haussa les épaules.

– Le mur ne devait pas être très solide, alors.

– Je ne parle pas du mur ! Le creux est... sur ton front !

Gita se tourna de nouveau vers lui, et il constata qu'un liquide jaune coulait sur son uniforme. C'était sa propre huile qu'elle perdait, et sur laquelle elle avait glissé !

– Vous n'êtes pas la vraie Gita, n'est-ce pas ? articula Teggs d'un air grave. Vous êtes un robot. Un dinodroïde !

Tandis qu'il parlait, les yeux de Gita devinrent tout rouges et commencèrent à tourner dans leurs orbites. Un volet se souleva sur son front, révélant un lance-missiles miniature – pointé droit sur Teggs !

CHAPITRE 6

Les dinodroïdes attaquent !

– Qu'avez-vous fait de la véritable Gita ? gronda Teggs. Où est-elle ?

– Ne vous inquiétez pas, grinça la dinodroïde. Vous n'allez pas tarder à la rejoindre !

– Certainement pas !

Avant qu'elle puisse lancer son missile, Teggs frappa violemment la hanche métallique du robot de Gita avec sa queue.

Elle tituba, et les gouttes d'huile se mirent à couler de plus en plus abondamment, formant bientôt une véritable flaque sur le sol du couloir, aussi glissante qu'une peau de banane. Teggs fit demi-tour et se mit à courir, mais quand la dinodroïde tenta de le rattraper, elle perdit l'équilibre de nouveau et commença à tituber, comme un éléphant sur des patins à roulettes.

– Reviens, mes maîtres ont besoin de toi! grogna-t-elle avant de tomber face contre terre dans un grand fracas.

– Alors il faudra se montrer un peu plus malin! lui cria Teggs.

Puis il emprunta un couloir latéral et lâcha un soupir de soulagement.

Soudain, Arx et Iggy surgirent devant lui.

– Mes amis! Dieu merci, je vous ai retrouvés!

Il s'interrompit, saisi d'un doute.

– Euh... c'est bien vous, n'est-ce pas?

Vexé, Iggy lui lança un regard noir.

– Bien sûr que c'est nous! Mais vous, capitaine, êtes-vous vraiment vous ?

– Oui, et je vais vraiment très bien, affirma Teggs. Où étiez-vous passés?

– Nous sommes tombés dans un piège, expliqua Arx. Mais nous avons réussi à nous échapper. Gita avait raison : il y a bien un carnivore fou à bord. Il s'est caché dans un atelier du deuxième étage. Et il est en train de construire un dinodroïde de la taille d'un stégosaure!

– Il veut sans doute me remplacer par un robot, déclara Teggs. Exactement comme il l'a fait avec Gita!

– Gita, un robot ?

Teggs acquiesça.

– Je pense que le carnivore a enlevé la vraie Gita par la bouche d'aération – qu'il a éraflée au passage – avant de la remplacer par un robot.

– Ça expliquerait pourquoi elle était si lourde quand je l'ai aidée à se relever, dit Iggy. Mais elle... enfin, je veux dire, *ça* semblait si réel !

– Je sais, dit Teggs. Je n'ai découvert la vérité que lorsque je l'ai vue perdre du Robotix.

Soudain, Arx comprit.

– Alors ce n'est pas un robot carnivore qui a laissé ces traces, mais la fausse Gita !

Teggs entendit un lourd bruit de ferraille en provenance du couloir central.

– Oui, et il semblerait qu'elle soit de nouveau sur pattes. Partons d'ici. Nous devons prévenir Droxy et l'amiral Rosso !

– Inutile, Teggs ! cria ce dernier, surgissant au bout du couloir. Quand j'ai entendu tout ce vacarme, je suis venu voir ce qui se passait.

Il semblait très préoccupé.

– Que faire ? Et à qui faire confiance ? Droxy est peut-être l'un d'entre eux ! dit-il.

Teggs lui lança un regard inquiet.

– Votre propre assistant, un dinodroïde ?

– Pourquoi pas ? répondit Arx d'un ton posé. Nous en sommes bien, nous !

– Ce n'est pas drôle, gronda Teggs.

C'est alors qu'il remarqua que les yeux d'Arx étaient devenus tout rouges. Ils tournaient comme des toupies, et les pointes de ses cornes disparurent soudain, révélant trois lances menaçantes !

Les yeux d'Iggy tournoyaient eux aussi, et des étincelles jaillissaient de ses griffes...

– Par mes piquants, c'est bien vrai ! Ce sont des dinodroïdes, s'écria Teggs. Courez, amiral, je m'occupe d'eux !

– Non, je ne vous abandonnerai pas, Teggs..., dit Rosso.

Puis il sourit, tandis que ses yeux commençaient eux aussi à tournoyer.

– Pas avant de vous avoir conduit jusqu'à mes maîtres !

– Vous m'avez piégé ! gronda Teggs. Tous !

– Nous vous avons juste fait parler jusqu'à ce que d'autres dinodroïdes viennent en renfort, expliqua le faux Rosso. Maintenant, vous êtes coincé !

Avec une étonnante vivacité, le Rosso-droïde s'élança la tête la première en direction de Teggs, qui réussit à l'esquiver avant qu'il ne s'écrase contre le mur. Avec ses griffes, l'Iggy-droïde tenta de lui lancer des éclairs, et le manqua de quelques millimètres à peine. De ses cornes, l'Arx-droïde tira une décharge de gaz puant, mais Teggs retint son souffle, avant de faire demi-tour et de s'enfuir par où il était venu.

Il comprit vite que le Rosso-droïde avait raison : désormais, ce n'était plus à une Gita boiteuse et amnésique qu'il avait affaire. Entourée de quatre ankylosaures aux yeux tournoyants qui bloquaient totalement le couloir, elle s'avançait vers lui d'un pas lourd.

– Je ne peux ni avancer ni reculer, murmura Teggs en entendant approcher derrière lui le

Rosso-droïde et sa bande de robots. Comme les dinosaures ne savent pas voler, il ne me reste plus qu'à... plonger!

De toutes ses forces, il frappa le sol de sa queue.

– Banzaaaaaï ! hurla-t-il au moment où le plancher cédait sous ses pattes.

La pièce dans laquelle il atterrit était vide, mais il n'eut pas le temps de reprendre son souffle. Déjà, le Gita-droïde passait la tête dans le trou et lui décochait un minimissile. En voulant l'éviter, Teggs défonça la porte et se retrouva dans le couloir.

– Attrapez-le! cria une voix aiguë, métallique.

Un ptérosaure-droïde aux deux ailes équipées de pistolets fondit sur lui. Avec sa queue, Teggs projeta le faux reptile volant contre le mur, où il explosa avec fracas. Mais bientôt, d'autres ptérosaures-droïdes surgirent au détour du couloir, leurs yeux lançant des éclairs rouges et leurs ailes des balles de pistolet.

Teggs se retourna et prit la fuite.

– Je dois regagner le *Sauropode*, murmura-t-il. Avec l'aide de l'équipage, j'ai peut-être une chance de battre ces maudits dinodroïdes...

À toute vitesse, il se rua vers le bout du couloir et tourna. Mais c'était une voie sans issue, bloquée par une grande bouche d'aération – exactement comme l'endroit où il avait découvert le robot de Gita.

Teggs ne parvint pas à s'arrêter à temps. *Booinng ! Claaannng !* Il fonça droit sur la grille, si violemment que son cou se tordit et que sa tête heurta le sol avec fracas.

Étourdi, il se remit sur pattes et vit trois ptérosaures voler vers lui.

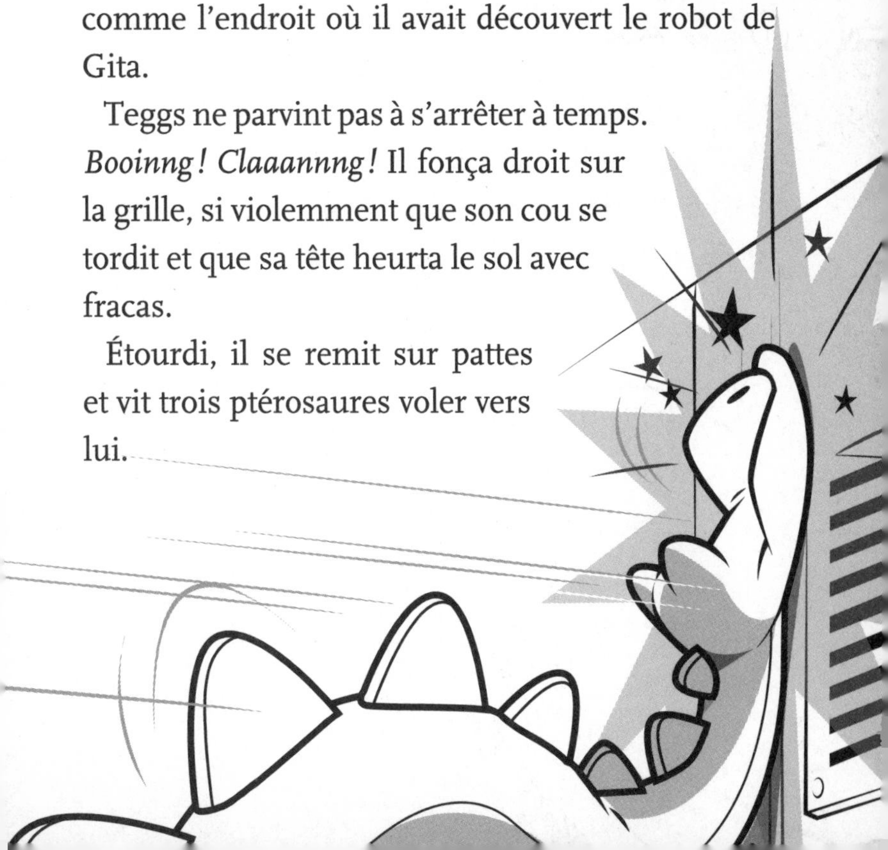

Saisissant la grille dans son bec, il la lança dans leur direction comme un Frisbee. Dès qu'ils furent touchés, deux robots explosèrent, carbonisant les fesses du troisième qui, dans un grincement, pointa droit vers le ciel et s'écrabouilla au plafond.

Teggs profita de cet instant de répit pour se tourner vers la bouche d'aération. S'il entrait dans le conduit, il trouverait peut-être un moyen d'atteindre le port d'amarrage du *Sauropode*. Peut-être même croiserait-il la véritable Gita en chemin ?

Mais il se pouvait aussi qu'il se jette lui-même dans la gueule du loup et atterrisse dans le repaire des carnivores... Prudemment, Teggs s'engagea dans le tuyau et commença à avancer dans ce labyrinthe menaçant.

CHAPITRE 7

Pris au piège

Dans les tuyaux noirs et terrifiants circulait un air chaud et qui sentait le renfermé. Teggs s'y sentait un peu à l'étroit, et il regretta d'avoir avalé une ration supplémentaire de branchages dans le bureau de Rosso. Depuis combien de temps évoluait-il dans ce sinistre univers de métal ? Il avait perdu toute notion du temps, mais il ne pouvait pas faire demi-tour – de toute façon, il n'y avait pas assez de place. Alors il continua sa progression dans l'obscur tunnel.

– Gita ? murmurait-il tous les trois mètres. Tu es là ?

Soudain, il perçut un mouvement devant lui.

Il se figea. Quelque chose trottinait dans sa direction, respirant de façon saccadée.

L'intrus heurta son ventre, et tous deux poussèrent un cri de surprise, qui résonna dans les tuyaux.

– Au secours ! cria une voix familière. Ne me faites pas de mal, je vous en supplie ! À l'aide !

– Taisez-vous, Droxy ! souffla Teggs. C'est moi.

– Capitaine Teggs ? Comment puis-je être sûr que vous n'êtes pas un robot ?

– Et moi donc ? répliqua Teggs. Tout le monde ici s'est transformé en machine !

Il appuya sur le bouton de son transmetteur dont la petite ampoule jaune éclairait faiblement le dracopelta. Apeuré, Droxy transpirait.

– C'est bien moi, monsieur, en chair et en os ! Regardez !

Il tourna sa tête, et Teggs remarqua qu'il avait une vilaine égratignure sur la joue.

– C'est un ptérosaure-droïde du quatrième étage qui m'a fait ça. Je n'ai pas pu me réfugier ailleurs que dans ce tuyau.

– Et vous n'avez pas croisé Gita ? coupa le capitaine.

– Non, monsieur. Elle s'est transformée en robot, elle aussi ?

Teggs hocha la tête.

– Comme Rosso, Arx et Iggy... Si ça se trouve, nous sommes les deux seuls véritables Astrosaures à bord de ce vaisseau !

– Dans ce cas, il faut aller chercher de l'aide, monsieur, affirma Droxy. Envoyez un signal à tous les autres vaisseaux alliés circulant dans le secteur. Peut-être pouvons-nous nous cacher à bord du *Sauropode* ?

– Savez-vous comment y arriver ? demanda Teggs, tendu.

– Je crois, oui, répondit Droxy. Suivez-moi.

Plein d'espoir, Teggs se glissa dans le conduit, son gros cœur battant sourdement dans sa poitrine. Droxy, qui était plus petit et plus rapide que lui, passa devant.

– C'est juste ici, monsieur.

Il parlait à voix basse.

– Ne bougez pas. Je vais m'assurer que la voie est libre...

Teggs resta seul, tandis que les pas de l'assistant de Rosso s'éloignaient dans l'obscurité. Puis il entendit un couinement lointain au moment où Droxy démontait la grille du conduit d'aération.

Soudain, un cri déchira le silence.

– Droxy ? hurla Teggs. Vous allez bien ?

– Ils m'ont eu, monsieur ! cria le dracopelta. Les dinodroïdes ! Ils s'étaient cachés ici et m'attendaient. Faites demi-tour, monsieur ! Sauvez-vous !

Teggs secoua la tête.

– Pas question de vous laisser ici !

Serrant les dents, il s'élança dans le tuyau et franchit la grille dans un grognement de colère. Si seulement il parvenait à se mettre à l'abri à l'intérieur du *Sauropode*...

Mais le vaisseau n'était pas là. Droxy ne l'avait pas conduit jusqu'au port d'amarrage, mais dans une espèce d'atelier...

L'assistant de Rosso n'était pas otage des dinodroïdes. Il se tenait aux côtés d'un dasplétosaure à l'air méchant, vêtu d'un horrible short argenté et armé d'un pistolet très dangereux!

– Pas un geste, capitaine! ordonna le carnivore, un sourire aux lèvres. Mon nom est Attila. Attila l'Affreux!

– C'est votre élégance qui vous a valu ce surnom, je suppose? répliqua Teggs.

Attila ignora sa remarque.

– Je suis expert en monstres mécaniques, spécialisé en dinodroïdes mortels, et je dirige tous les robots qui sont ici.

– Quelle grosse tête vous avez pour quelqu'un qui a de si petits bras! gronda Teggs.

– J'ai également de grandes dents, répondit Attila en claquant des mâchoires. Regardez!

Droxy ricana.

– Bien fait pour vous, grand capitaine Teggs Stégosaure ! Je vous ai bien eu, *monsieur* !

Teggs hocha la tête d'un air mauvais.

– Cette histoire de scanner et de battements de cœur... Vous avez tout inventé, n'est-ce pas ? Vous saviez depuis le début que ce carnivore était à bord !

– Eh oui ! se vanta Droxy.

– Pourtant, vous êtes fait de chair et de sang, et vous êtes un herbivore, vous aussi ! protesta Teggs. Alors, pourquoi aidez-vous Attila l'Affreux ? Je ne comprends pas.

Droxy eut un petit sourire satisfait.

– Sans doute parce que votre cerveau est de la taille d'un gland pas mûr !

– Sur ce point, vous n'avez pas tort, admit Teggs.

– Assez parlé ! lança Attila. Il est temps pour moi d'enrichir ma collection d'astro-droïdes !

– Sûrement pas ! dit Teggs d'un ton ferme. Vous ne me transformerez pas en un stupide robot !

À cet instant, un aveuglant éclair rouge jaillit du plafond et se mit à clignoter, encore et encore. Teggs ferma les yeux, retenant son souffle.

Son crâne commença à le démanger de l'intérieur, comme si une colonie de termites y agitait des plumeaux.

Enfin, l'horrible lumière disparut. Teggs poussa un grognement.

– Vous êtes peut-être habillé comme une star du disco, Attila, mais vos jeux de lumière laissent à désirer !

– Finie la plaisanterie, capitaine ! ordonna Droxy. Nous n'avons plus besoin de vous, désormais.

– Oui, j'ai tout ce qu'il me faut, confirma Attila.

– Pas tout à fait. Prenez ça ! mugit Teggs.

Et il chargea ses adversaires, agitant sa queue à piquants par-dessus sa tête.

Mais Attila, dans une élégante pirouette digne d'un grand danseur, dégaina son pistolet et ouvrit le feu. Touché, Teggs vacilla en arrière, heurtant un grand stégosaure jaune orangé... son parfait sosie ! Celui-ci sourit méchamment et releva sa queue au-dessus de sa tête.

Puis tout devint noir.

CHAPITRE 8

Un complot diabolique

Quand il se réveilla, Teggs était allongé, face contre terre, dans une pièce humide et sale, et maintenu par des cordes.

– Ma tête ! gronda-t-il. Où suis-je ?

– Dans une marmite, répondit Gita, derrière lui.

– Avec nous tous, ajouta Iggy.

Teggs roula sur le côté, s'attendant à se retrouver nez à nez avec des dinodroïdes. Mais il sut immédiatement que les Astrosaures blessés et couverts de bleus devant lui étaient les vrais : même ficelés comme des dindes préhistoriques, Gita, Arx, Iggy et l'amiral Rosso lui offrirent leur plus chaleureux sourire.

– Quelle catastrophe, soupira-t-il. Je n'arrive pas à croire qu'Attila l'Affreux ait réussi à prendre le contrôle du quartier général de l'ASD !

– Pas encore, affirma Gita.

– Pardon ? demanda Teggs en clignant des paupières.

– Nous ne sommes pas au QG ! expliqua Rosso. Ceci est une vieille station spatiale aménagée pour ressembler à la nôtre !

– C'est pourquoi tant de couloirs ont été fermés pour travaux, dit Iggy d'un ton amer. La plupart des pièces sont aussi minables que celle-ci !

– Mais vu de l'extérieur, cet endroit est absolument identique à notre QG ! protesta Teggs. Nous l'avons vu lorsque nous étions à bord du *Sauropode* !

– Ce n'était qu'une image projetée sur notre écran défectueux, constata sombrement Rosso. C'est ainsi qu'ils m'ont trompé, moi aussi...

– Attila a construit lui-même ce tunnel spatial, poursuivit Arx. Il fonctionne comme un raccourci, qui nous a tous aspirés puis recrachés sur le seuil de ce faux quartier général, situé en plein cœur des Territoires tyrannosaures !

– C'est vraiment la galère, lâcha Teggs.

Gita hocha tristement la tête.

– Et avec nos instruments cassés, nous n'avions aucun moyen de nous repérer.

– Comment avez-vous compris tout ça ? demanda Teggs.

– Attila est un gros frimeur et il n'arrête pas de se vanter d'être très intelligent, se plaignit Gita. Quant à Droxy, il est encore pire !

Rosso acquiesça.

– Il travaillait à l'ASD autrefois. Mais il a vite été licencié pour avoir conclu des affaires louches avec des carnivores.

– Il semblerait qu'il vienne de réussir le plus beau coup de sa carrière ! lâcha sombrement Iggy.

– Je me demande ce qu'ils mijotent, ces deux-là..., souffla Teggs, au moment où la porte s'ouvrait brusquement sur Attila et Droxy.

Ils étaient accompagnés des robots représentant Arx, Gita,

Iggy et... lui-même. Le capitaine retint son souffle. Cela faisait un drôle d'effet de se retrouver nez à nez avec ces parfaits sosies !

– Nous sommes venus vous dire au revoir, déclara Droxy.

Teggs haussa les sourcils.

– Et nous dévoiler votre plan génial, j'imagine !

Droxy lui lança un regard sournois.

– Peut-être bien...

– Nous vous écoutons, reprit Teggs. Montreznous à quel point vous êtes intelligents.

– Je ne suis pas intelligent, corrigea Attila, je suis un génie ! Voyez vous-mêmes... Si mes dinodroïdes sont parfaits, c'est parce que je les ai construits avec des parties de chacun d'entre vous !

– Comment ça ? gronda Teggs.

– Bien sûr ! s'exclama Arx. Cette lumière rouge que nous avons vue...

– Des flashs ! gloussa Attila. Il m'a suffi de prendre une simple photo de votre esprit pour enregistrer vos pensées et votre mémoire, que j'ai ensuite copiées sur les disques durs de mes robots. Ainsi, ils se comportent exactement comme vous.

– C'est pour ça que vous nous avez fait traverser la moitié du Quadrant jurassique..., souffla Teggs.

Droxy sourit.

– Il fallait aussi que nous testions notre Rossodroïde. Nous savions que s'il parvenait à vous tromper vous, il tromperait n'importe qui !

– Et maintenant, nos créatures vont emprunter le *Sauropode* et aller envahir le vrai QG de l'ASD, expliqua Attila. Bientôt, le capitaine Teggs et son équipage rentreront chez eux, accompagnés de l'amiral Rosso – tous sains et saufs.

– Je comprends, dit Teggs. Vous voulez saboter le Sommet interplanétaire !

– Notre Rosso-droïde va attaquer les généraux des raptors, déclara Attila, ce qui déclenchera une guerre entre l'Empire théropode et le Secteur végétarien tout entier.

– L'ASD lancera ses meilleurs vaisseaux dans la bataille, poursuivit Droxy, et placera tous ses espoirs dans le vaillant capitaine Teggs et son équipage... Imaginez la stupéfaction du monde entier quand le *Sauropode* ouvrira le feu sur sa propre flotte et fera sauter le quartier général de l'ASD !

Attila sourit, dévoilant ses longues dents pointues.

– Et quand il verra Teggs prêter main-forte aux raptors et les aider à détruire le Secteur végétarien !

– Jamais je ne ferais une chose pareille ! bafouilla Teggs.

– Vous, peut-être pas, mais mon Teggs-droïde, lui, le fera ! grinça le carnivore, tout excité, en remuant son derrière. Vous et votre équipage entrerez dans l'histoire comme les plus grands traîtres de tous les temps !

– Espèce de misérable monstre à petits bras ! s'écria Rosso. Que cherches-tu exactement ?

– Quand le Secteur végétarien et l'Empire théropode auront conclu un cessez-le-feu, alors les tyrannosaures leur déclareront la guerre à tous les deux, ricana Attila. Ils seront faciles à battre, surtout si nous prenons possession du *Sauropode*. Les tyrannosaures gouverneront alors tout le Quadrant jurassique et je serai leur empereur !

– Quant à moi, je serai le plus loyal serviteur de l'empereur, ajouta Droxy. Et j'aurai un mini-empire pour moi tout seul !

La crête de Gita devint cramoisie de rage, et elle se jeta sur Droxy malgré ses liens.

– Espèce de répugnant dracopelta !

Elle réussit à lui donner un violent coup de bec, déchirant au passage sa ceinture verte fluo, avant que son double dinodroïde se précipite pour les séparer.

– Je crois qu'il est temps que nous partions, articula Droxy, car le *Sauropode* est entièrement réparé. Montons à bord et allons inaugurer le Sommet interplanétaire !

– Tout le monde pensera qu'une fois de plus, le brillant capitaine Teggs a réussi sa mission, lança Attila. S'ils savaient...

– Vous ne pouvez pas nous laisser pourrir ici ! hurla Iggy.

– Oh que si ! Mais nous avons posté quelques gardes dinodroïdes devant la porte pour vous surveiller. Si vous tentez de vous échapper, ils vous détruiront. Au revoiiiir !

Sur ces paroles, les deux diaboliques compères quittèrent la pièce.

Teggs eut le temps d'apercevoir de féroces ankylodroïdes et des robots ptérosaures aux yeux clignotants, avant que la porte se ferme dans un claquement, les retenant prisonniers pour de bon.

CHAPITRE 9

Le dernier espoir

– Il faut stopper ces monstres ! hurla Teggs. Si nous ne faisons rien, le Quadrant jurassique est perdu.

Rosso approuva.

– Essayons d'abord de sortir d'ici...

– Mais comment ? soupira Arx.

– Qu'est-ce que c'est que ça ? demanda Teggs, qui avait remarqué un objet rond et vert par terre, près de Gita.

Celle-ci se pencha.

– C'est le détecteur de vie de Droxy. Il a dû tomber quand j'ai déchiré sa ceinture.

Rosso tendit le cou pour examiner l'objet.

– Cet engin sert à percevoir les battements de cœur et les mouvements du cerveau, n'est-ce pas ?

Je ne vois vraiment pas à quoi cela pourrait nous servir.

– Moi si, souffla Iggy. Si seulement je pouvais dégager mes mains !

– Utilise les piquants de mon dos pour couper tes liens, suggéra Teggs. Ils doivent être assez tranchants.

Iggy sautilla jusqu'à Teggs et parvint à se libérer. Puis il démonta le détecteur et commença à bricoler les fils.

– Pouvez-vous me prêter votre transmetteur, capitaine ?

Teggs le laissa détacher l'appareil de son poignet.

– Quel est ton plan, Iggy ?

– Je pense que si j'arrive à relier correctement ces deux appareils, je peux les transformer en une espèce de brouilleur d'ondes.

– C'est une idée géniale ! s'exclama Arx, ravi.

– Espérons que ça fonctionnera, souffla Iggy en se remettant au travail.

Tous attendirent dans un silence tendu. Soudain, Iggy pressa le bouton de son étrange invention.

Aiaiaiaiaiiiiiii... Crooouuuuuuu. Shhhhhh... Bbbzzzzzzz....

– Quel horrible vacarme ! gémit Rosso.

– En effet, grogna Iggy, ça nous fait mal à la tête, mais quel effet cela aura-t-il sur les dinodroïdes ?

La porte s'ouvrit brusquement et les ankylodroïdes firent irruption dans la pièce.

Bing.... Bang... Aaaaiiiiiieee...

– Ils savent que nous préparons quelque chose ! cria Teggs.

Gita acquiesça.

– Attention, Iggy, ils foncent droit sur toi !

Les robots ptérosaures prirent leur envol, les yeux tournoyant furieusement dans leurs orbites.

– Essaie d'amplifier ton signal ! hurla Arx.

Iggy actionna son brouilleur d'ondes et, soudain, les dinodroïdes furent stoppés net dans leur élan. Leurs yeux rouges prirent une étrange teinte rose, et de la fumée commença à s'échapper de leurs corps de métal.

– Ça marche ! hurla Gita, couvrant le vacarme.

– Continue, Iggy, ordonna Teggs. De la puissance !

Le bruit se fit plus fort, et plus fort encore... Enfin, les dinodroïdes se mirent à trembler, à se tordre, puis ils explosèrent ! Des vis, des boulons, des ressorts et des circuits électroniques jaillirent dans toute la pièce, et quand la fumée se dissipa, il ne restait plus d'eux que quelques pièces d'acier : un bout de pied par-ci, un morceau d'aile par-là...

– Ça a fonctionné ! s'exclama Gita.

Rosso rayonnait.

– Bien joué, Iggy !

– Oui, bravo ! Nous avons franchi la première étape, dit Teggs.

Iggy trancha ses liens avec un morceau de métal encore chaud, puis délivra ses compagnons.

– Maintenant, nous devons rattraper Attila et Droxy, sans perdre une minute !

Arx acquiesça.

– Mais... ils ont volé le *Sauropode* !

– Ils ont bien dû utiliser un vaisseau pour arriver jusqu'ici, supposa Iggy. Nous le trouverons sûrement au port d'amarrage. Allons voir !

Ils se ruèrent dans les couloirs déserts du faux quartier général, et coururent jusqu'au port d'amarrage. Mais ils n'y trouvèrent qu'une vieille navette délabrée.

– Oh..., dit Rosso. Il y a comme un problème.

Teggs grogna.

– Nous ne pourrons jamais les rattraper avec cette vieille casserole !

Gita se précipita à l'intérieur du véhicule.

– La radio ne fonctionne plus ! cria-t-elle. On ne peut même pas envoyer un message d'alerte au vrai QG de l'ASD !

– Combien de temps le *Sauropode* mettra-t-il pour arriver là-bas ? demanda Iggy.

– Cela dépend de l'endroit exact où nous nous trouvons dans les Territoires tyrannosaures..., répondit Rosso.

Il réfléchit quelques instants, puis ajouta :

– Pas plus de deux jours, en tout cas.

– Le Sommet aura déjà commencé dans deux jours, remarqua Teggs. Les dinodroïdes vont s'y précipiter et tout saboter. Et nous ne pouvons pas les en empêcher !

– Peut-être que si, suggéra Arx. Mais c'est dangereux. Très dangereux. Extrêmement dangereux. Très extrêmement dangereux...

– Je crois que nous avons compris, Arx, coupa Teggs. Quel est ton plan ?

– Prendre un raccourci à travers le tunnel spatial !

Les Astrosaures jetèrent à leur compagnon des regards incrédules.

– Tu veux tenter une nouvelle traversée dans ce tas de boue ? glousse Iggy.

Arx haussa les épaules.

– Si nous traversons dans cette direction, nous ressortirons dans le Secteur végétarien, près de Trimuda. Et à partir de là, nous devrions atteindre le QG avant Attila.

– Ce voyage a presque détruit le *Sauropode*! lui rappela Gita. Alors imaginez ce qui se passera avec ce vieux clou rouillé!

– C'est vrai que nous avons peu de chances de réussir, concéda Arx. Extrêmement peu de chances. Très...

– Oui, oui, coupa l'amiral Rosso. Mais c'est la seule possibilité pour arrêter les dinodroïdes.

Il regarda tour à tour tous les Astrosaures.

– Cette mission est la plus dangereuse de toute notre vie... et aussi la plus importante, ajouta-t-il.

– Nous sommes avec vous, amiral, dit Teggs.

Rosso gratifia l'équipage d'un sourire qui découvrit ses dents mal plantées et lança :

– Alors allons-y!

Il ne fallut pas longtemps à l'équipage pour préparer le petit vaisseau au décollage, et pas davantage pour trouver l'entrée du tunnel spatial. Dans un silence grave, l'équipage regarda Iggy se diriger vers ce trou sombre et sinistre, au cœur de l'espace...

CHAPITRE 10

Mission dinodroïdes

La vieille navette rouillée avançait maintenant dans le tunnel, frémissant et bringuebalant comme un flan pendant un tremblement de terre. Peu à peu, les Astrosaures prirent de la vitesse. Le bout du tunnel luisait d'un éclat étrange, puissant, à mesure qu'ils s'en approchaient.

Soudain, un énorme éclat de roche jaillit devant le pare-brise du vaisseau.

– Oh ! cria Teggs par-dessus le bruit des machines. On dirait que des météorites ont été aspirées dans le tunnel !

– Il ne manquait plus que ça ! maugréa Gita. Si nous ne sommes pas éjectés du tunnel comme un vulgaire débris spatial, nous risquons de finir écrabouillés !

– Pas forcément, dit Arx. En réalité, je crois que c'est justement ce qu'il nous faut. Si nous parvenons à nous glisser dans la fissure d'une météorite, toute cette roche pourrait nous protéger pendant que nous avançons dans le tunnel.

– Comme un bouclier naturel..., approuva Rosso. Bien vu, Arx !

– Il faut d'abord trouver la météorite qui convient, prévint Teggs tandis que la cabine commençait à chauffer sérieusement.

– En voilà une ! hurla Gita en désignant un énorme rocher dentelé et troué comme du gruyère.

– Parfait. Il ne nous reste plus qu'à nous y introduire, dit Iggy avant de prendre une profonde inspiration. Accrochez-vous !

– Mais nous sommes déjà accrochés ! cria Gita, tandis que le vaisseau commençait à tanguer de part et d'autre du tunnel.

– Eh bien, cramponnez-vous encore plus fort !

Avec une incroyable adresse, Iggy réussit à manœuvrer le vaisseau vibrant à l'intérieur d'une profonde fissure de la météorite en pleine chute. Soudain, dans un terrible crissement semblable à celui de griffes sur un tableau noir, ils s'arrêtèrent.

– Nous sommes à l'abri dans la fissure ! expliqua Iggy. En plein cœur de la météorite.

Teggs le félicita.

– Beau travail, Iggy ! Eh bien, maintenant, il ne nous reste plus qu'à nous préparer et à espérer que tout se passera bien. Nous allons traverser le tunnel de l'espace en sens inverse !

Le temps s'étirait interminablement, et chaque seconde semblait durer des heures. À travers les vitres, les Astrosaures voyaient la roche rougir sous l'effet de la chaleur, puis blanchir. À l'intérieur du vaisseau, certains appareils commencèrent à fondre...

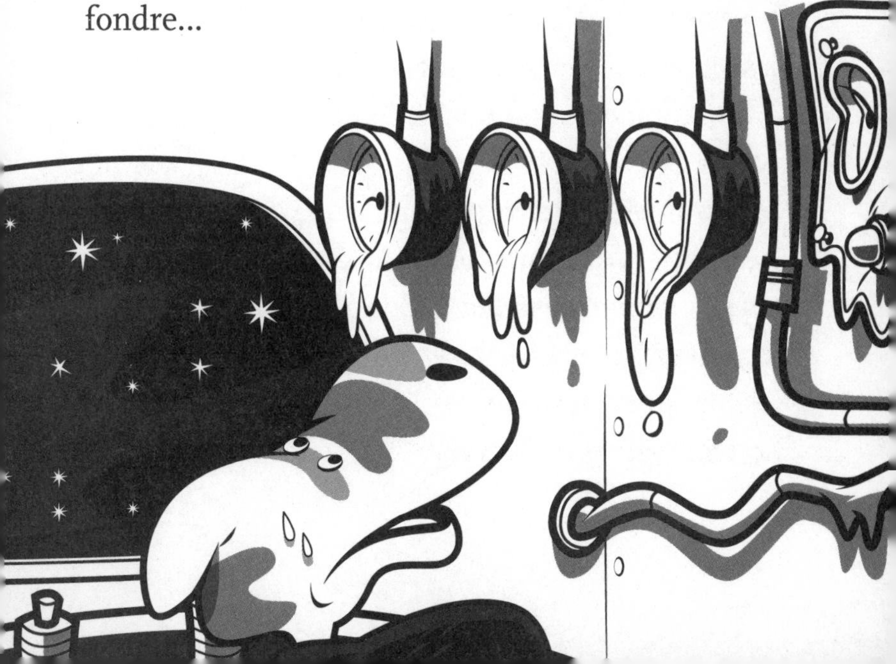

Et puis, enfin... *whoooshshshshshsh* ! Le vaisseau sortit du tunnel. La roche blanche de la météorite dans laquelle ils s'étaient abrités tomba en poussière spatiale, comme la queue d'une comète.

– Nous avons réussi ! hurla Rosso, tandis que l'équipage applaudissait en poussant des cris de joie.

– Bravo à tous, acquiesça Teggs. Arx, où sommes-nous en ce moment ?

– Nous nous éloignons de Trimuda à la vitesse de l'éclair, répondit le tricératops. La plupart des commandes sont hors service... mais je crois que nous sommes sur le chemin du QG de l'ASD !

– C'est génial ! cria Teggs en sautant en l'air.

Gita hocha la tête d'un air inquiet.

– Mais arriverons-nous à temps ?

Le voyage parut interminable. Gita tentait sans cesse de faire fonctionner la radio pour pouvoir envoyer un message d'alerte. Hélas, l'appareil était irréparable. Seuls les moteurs fonctionnaient encore, mais tout juste – ils crachaient comme de vieux dragons enrhumés.

Heureusement, ils ne tombèrent pas en panne de carburant – l'amiral Rosso n'avait pas fait le plein depuis son enlèvement, mais il ne tarda pas à réparer cet oubli.

Enfin, Gita poussa un cri de soulagement.

– Le quartier général de l'ASD ! Regardez, il est droit devant !

– Le *Sauropode* est arrivé lui aussi, articula Teggs d'un air sombre.

Ils virent leur beau vaisseau ovale glisser lentement en direction du port d'amarrage de l'ASD.

– Il faut absolument empêcher Attila et ses maudits robots de quitter le vaisseau, s'écria Rosso. S'ils réussissent à pénétrer dans le quartier général, ils saboteront la réunion du Sommet !

Songeur, Iggy tapota le coin de son museau.

– Heureusement que nous avons installé cette porte secrète à l'arrière du *Sauropode*, n'est-ce pas, capitaine ?

Gita et Arx lancèrent à leur capitaine un regard surpris. Celui-ci haussa les épaules en souriant.

– Je l'avais fait construire au cas où quelqu'un perdrait ses clés...

S'approchant du *Sauropode,* Iggy le heurta légèrement par derrière, à trois reprises. Un volet s'ouvrit, et ils pénétrèrent dans la réserve de torpilles à fumier.

– Trop top ! s'exclama Arx.

Mais, en atterrissant, ils entendirent un puissant *clang* !

– Le *Sauropode* s'est amarré directement au quartier général, annonça Arx, le souffle coupé. Il n'est pas certain que nous ayons assez de temps pour les arrêter !

– Il faut essayer, affirma Teggs. Gita, amiral, prenez la sortie de secours et allez directement au QG. Avertissez les participants du danger qu'ils courent.

Puis, se tournant vers Iggy et Arx, il ajouta :

– Vous deux, suivez-moi sur le pont d'envol. Il est temps de capturer ces dinodroïdes !

Sans perdre une seconde, Teggs conduisit ses deux compagnons jusqu'à un ascenseur et pressa le bouton avec le bout de sa queue.

Iggy agita son brouilleur d'ondes.

– Je l'ai un peu bricolé, et je crois que j'ai augmenté sa puissance...

– Très bien, dit Teggs, nous avons tout ce qu'il faut !

Les portes de l'ascenseur s'ouvrirent à la seconde où il s'arrêta, et les Astrosaures se précipitèrent sur le pont d'envol. Dans la cabine de contrôle, le Teggs-droïde leva les yeux et les aperçut. L'Arx-droïde se mit alors à tournoyer sur sa chaise, et Droxy à sauter d'un pied sur l'autre. Ils n'en croyaient pas leurs yeux.

– Vous ! s'exclama Droxy. Comment êtes-vous arrivés jusqu'ici ?

Teggs sourit.

– Si vous ne laissiez pas traîner vos tunnels spatiaux...

Au comble de l'étonnement, les dimorphodons émirent un grincement incrédule. Voyaient-ils double ?

– Écoutez-moi, les gars, cria Teggs. Vous avez été trompés par de diaboliques dinodroïdes. C'est nous, les véritables Astrosaures !

– Ne les écoutez pas, grinça Droxy. Ce sont des imposteurs !

– Allume ton appareil, Iggy, ordonna Teggs. Nous allons prouver que nous disons la vérité.

Iiiiiiiiiiiouuoou... ! Un horrible vacarme retentit, et les yeux rouges des droïdes commencèrent à tournoyer dans leurs orbites. Les dimorphodons battaient des ailes, affolés.

Des jets de gaz jaillirent des cornes de l'Arx-droïde, comme la première fois qu'il avait attaqué Teggs. Mais le Teggs-droïde avait une arme bien plus mortelle sous la main, ou plutôt, sous la queue... Une queue hérissée de piquants qui se sépara soudain en deux, révélant un énorme canon laser !

– Attention ! hurla le capitaine, plaquant Arx et Iggy au sol tandis que son sosie ouvrait le feu.

Un rayon laser siffla au-dessus de leurs têtes et fit sauter le mur derrière eux.

– J'ai atterri sur mon brouilleur, gémit Iggy. Il est cassé !

– Vite, répare-le, lui dit Teggs. Arx, il faut gagner du temps !

– Tout est fini, capitaine Teggs, siffla Droxy. Attila et le Rosso-droïde sont déjà en route pour le Sommet interplanétaire.

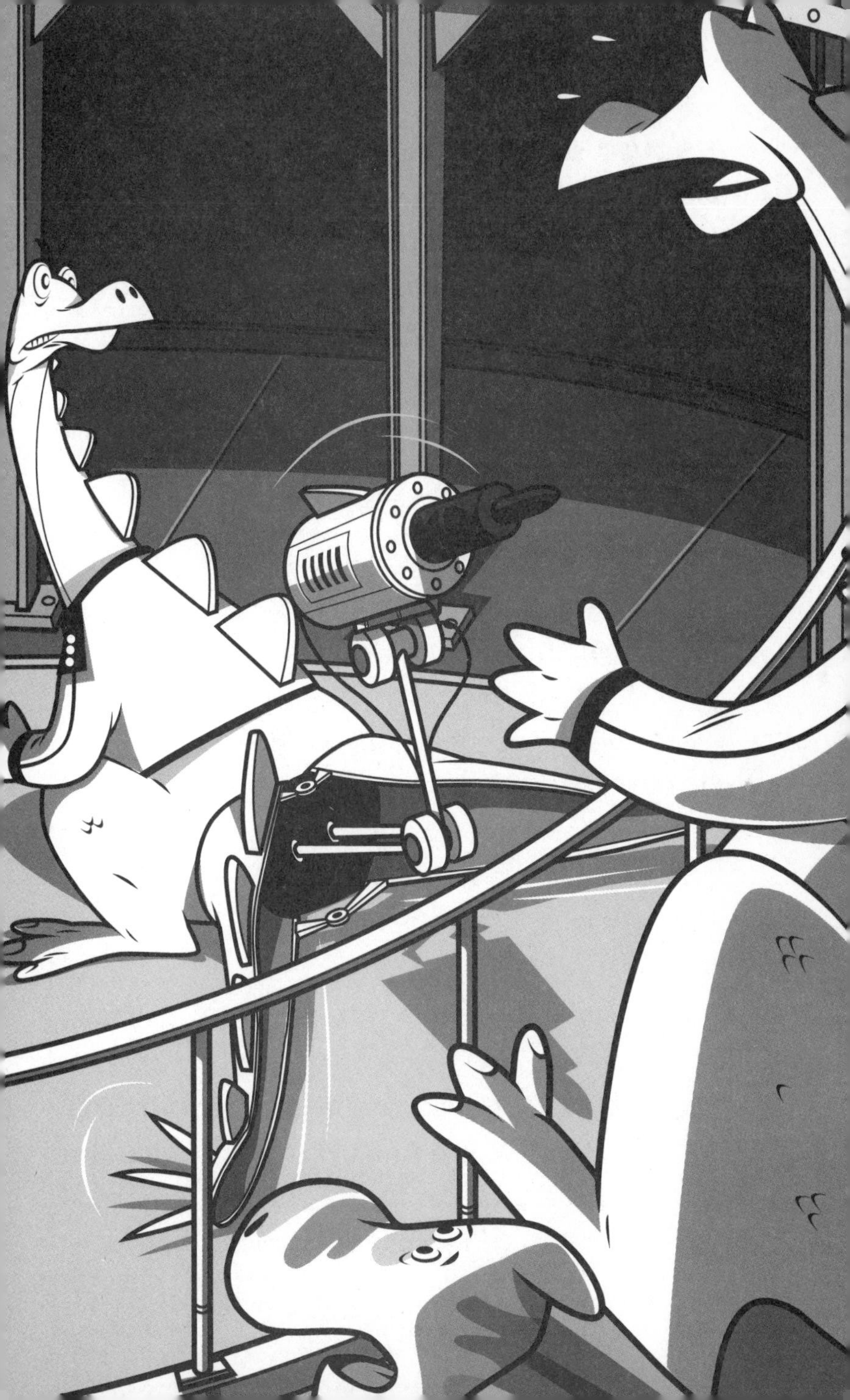

Teggs haussa les sourcils.

– Et où sont donc vos robots de Gita et d'Iggy ?

– Juste derrière vous, capitaine, répondirent-ils en chœur depuis la cabine de l'ascenseur.

Leurs yeux rouges se mirent à tournoyer.

Sans l'appareil magique, comment les arrêter ?

CHAPITRE 11

La confrontation

D'un coup de queue, Teggs frappa la hanche du Gita-droïde, et l'envoya à terre. Arx, lui, tenta de charger l'Iggy-droïde, mais celui-ci fit jaillir de puissantes étincelles de ses griffes, le forçant à reculer. Soudain, la crête du Gita-droïde s'écarta, et un minimissile fusa droit sur Teggs. Celui-ci fit un pas de côté et tomba pile dans la ligne de mire de l'Arx-droïde.

Le robot baissa sa tête à trois cornes, prêt à gazer son adversaire...

D'audacieux dimorphodons arrivés en renfort parvinrent juste à temps à enfoncer des boules de coton dans les lances mortelles ! Quand le gaz pénétra dans son propre corps, les yeux du dino-droïde se troublèrent.

– Regardez, capitaine ! souffla le véritable Arx.

Teggs se retourna et vit s'approcher le robot d'Iggy, toutes griffes électriques dehors, tandis que le Gita-droïde, juste derrière lui, s'apprêtait à lancer un nouveau missile. Quant au robot de Teggs, il se ruait lui aussi vers le capitaine, l'effrayant canon de sa queue pointé droit sur lui.

Mais, au dernier moment, alors que son sosie ouvrait le feu, Teggs plongea dans la cabine de contrôle, et c'est le robot d'Iggy qui fut touché par le laser.

Sa tête explosa ! Son corps fut secoué de mouvements incontrôlés, et ses griffes électriques allèrent se planter dans le Gita-droïde. Un halo rouge les entourait tous deux, grillant leurs circuits. Avec un étrange bruit électronique, six missiles jaillirent du front de la fausse Gita, pendant que le robot d'Arx partait en fumée.

Seul le robot de Teggs était encore debout.

– Vous êtes très malin, capitaine, siffla Droxy. Mais votre robot est le plus redoutable de tous !

– En tout cas, c'est certainement le plus séduisant ! plaisanta Teggs en regardant le dinodroïde se pencher vers lui.

Arx, qui s'était relevé, chargea le flanc du robot, le cabossant méchamment. Celui-ci vacilla sous le choc et reçut un coup de queue adroitement envoyé par le vrai Teggs. Avant que le dinodroïde puisse réagir, Arx le chargea de nouveau, ses puissantes cornes perçant un trou dans sa peau de métal. Puis Sprite, le chef des dimorphodons, vola droit dans l'ouverture et commença à picorer les entrailles du robot, jusqu'à ce que ses circuits s'emballent...

– Sors de là, Sprite ! hurla Teggs.

Sprite se dégagea à temps car, quelques instants plus tard, le robot explosait en mille morceaux.

– Aïe..., dit Teggs en fronçant les sourcils, c'était moins une !

– Ce n'est pas juste ! glapit Droxy quand les autres dimorphodons le saisirent avec leur bec et leurs griffes pour le retenir prisonnier. Vous avez peut-être réussi à me capturer, mais vous n'aurez jamais Attila !

– C'est ce que nous allons voir, affirma Arx.

– Dans ce cas, qu'est-ce qu'on attend ? cria Teggs en se précipitant dans l'ascenseur. À l'attaque !

L'amiral Rosso et Gita couraient à perdre haleine dans les couloirs larges et clairs du véritable quartier général de l'ASD. Bientôt, ils croisèrent un groupe de gardiens ankylosaures, qui les regardèrent d'un air ahuri.

Rosso interpella leur chef :

– Hé, vous ! M'avez-vous déjà vu passer ?

Le chef avala sa salive.

– Euh... oui, amiral. Il y a cinq minutes à peu près.

Il allongea le cou et reprit :

– En fait, amiral, vous êtes en ce moment même en train d'inaugurer le Sommet interplanétaire !

– Oh non ! gémit Rosso. Venez, Gita !

Bousculant les gardes, ils firent irruption dans la grande salle de réunion. En même temps, carnivores et végétariens sursautèrent, à la fois surpris et inquiets.

– Vous ici ! souffla Attila, en surgissant derrière le Rosso-droïde.

– Vous avez tous été bernés ! gronda l'amiral. Le véritable Rosso, c'est moi ! Cet imposteur est un robot, une vulgaire machine !

– Vous mentez ! répliqua le robot de Rosso. Gardes, arrêtez ces intrus !

Des ankylosaures armés envahirent la salle et les attrapèrent.

– Lâchez-nous ! hurla Gita. Il faut nous croire !

– Ah oui ? lança Attila en sautant sur une table avant de remuer son postérieur argenté dans sa direction. Et pourquoi ?

– Parce qu'ils disent la vérité ! gronda une voix familière depuis le seuil de la pièce. Teggs !

Il se fraya un chemin jusqu'au centre de la salle, suivi d'Arx et d'Iggy.

– Arrêtez ceux-là aussi ! aboya le dinodroïde de Rosso. Ils sont complètement fous !

– C'est ce que nous allons voir, rétorqua Iggy en allumant son brouilleur d'ondes. Grâce à ceci, je vais prouver que vous êtes un robot !

Bingwhaouuuuzzzzz... L'appareil émit un son plus fort que jamais. D'un seul coup, les yeux du Rosso-droïde rougirent et tournoyèrent follement dans leurs orbites. Puis le robot se mit à gigoter tel un pantin au bout de ses fils et enfin, dans un étrange crissement, il commença à fondre comme une glace en plein soleil.

Un murmure de stupéfaction monta de la foule assemblée dans la salle de réunion.

– Vous voyez ! cria Arx. C'est un faux ! La machine d'Iggy a enrayé son cerveau !

– Que dites-vous de ça, Attila ? demanda Teggs d'un ton de défi.

– Eh bien... merci beaucoup d'avoir déjoué mon plan diabolique, gronda Attila alors que le robot de Rosso se dissolvait en une grande flaque bouillonnante. Mais par les coutures de mon short argenté, vous ne m'attraperez jamais !

À ces mots, le carnivore tourna les talons et tenta de s'enfuir. Hélas, les restes gluants de son dinodroïde lui clouèrent les pieds au sol !

Iggy éteignit le détecteur modifié en ricanant tranquillement.

– On dirait que tu ne veux pas nous quitter, Attila !

Incrédule, le public fixait le disco-dino.

Rosso s'éclaircit la gorge.

– Écoutez-moi tous... Recommençons cette réunion depuis le début, si vous êtes d'accord, déclara-t-il le plus naturellement du monde. Gardes, débarrassez-nous de toute cette ferraille, enfermez Attila et apportez-moi une chaise propre. Il y a du pain sur la planche, des planètes à partager...

Il sourit gentiment à l'équipage du *Sauropode*.

– ... et encore de nombreuses aventures à vivre, termina-t-il.

– Vous avez raison, amiral, se hâta d'approuver Teggs en se léchant les babines. Nous serons prêts à repartir dès que nous aurons pris notre petit déjeuner.

– Sûrement pas, répliqua Rosso. Vous allez rester pour fêter votre victoire. Chacun d'entre vous sera récompensé par une médaille : l'Ordre de la Vertu reptilienne.

Teggs avala sa salive et regarda son équipage.

– Mais... il s'agit de la plus haute distinction qu'un Astrosaure puisse recevoir !

– Vous l'avez méritée, affirma l'amiral.

Puis il se tourna vers les VID présents, qui le fixaient d'un air surpris.

– Je crois que je mérite moi aussi quelques applaudissements, pour nous avoir évité une terrible guerre spatiale, non ?

Les végétariens se mirent à claquer frénétiquement des pattes et des griffes, bientôt rejoints par les carnivores. Iggy s'inclina, puis Gita fit une gracieuse révérence, tandis qu'Arx et Teggs gratifiaient la foule d'un salut un peu raide, typique des dinosaures. Attila, que l'on traînait hors de la salle, les fixait du regard.

– Cette aventure nous a valu une médaille, déclara Teggs comme les applaudissements redoublaient. Mais après un fabuleux festin, nous serons prêts pour de nouveaux défis... encore plus audacieux !

RETROUVE

DANS

Le piège des oizorribles

EXTRAIT

CHAPITRE 1

Le rivage aux secrets

Le capitaine Teggs Stégosaure regardait le paysage de carte postale qui défilait par le hublot de la navette spatiale *Alpha*. Trois soleils brillaient dans un ciel d'un bleu très pur, et la mer, constellée de petites îles, étincelait comme un collier d'émeraudes.

– Voici donc la planète Atlantos, dit-il en fronçant les sourcils. Beaucoup trop jolie pour une mission aussi délicate. C'est le genre d'endroit idéal pour passer ses... ses...

Il fit une grimace, comme si ce mot avait mauvais goût :

EXTRAIT

– Ses vacances !

Pour le taquiner, Gita Saurine, son officier de liaison, lui lança un ballon de plage.

– Un peu de détente ne vous ferait pas de mal, capitaine !

– Gita a raison, approuva Iggy en serrant la manette de la navette avec ses griffes. Vous n'avez pas pris un seul jour de repos depuis que vous êtes responsable du *Sauropode* !

Iggy l'iguanodon était l'ingénieur en chef du *Sauropode*, le meilleur vaisseau de l'Agence spatiale des dinosaures. L'engin se trouvait en ce moment même en orbite, attendant le retour de Teggs et de son équipe d'Astrosaures. À son bord, ces derniers parcouraient l'Univers. Le capitaine, un stégosaure, possédait un goût plus prononcé encore pour l'aventure que pour la fougère fraîche, dont il dévorait pourtant des tonnes.

– Pourquoi prendre des vacances ? répliqua Teggs. Faire le bien et combattre les méchants n'est pas un travail difficile : c'est un plaisir !

Il renvoya le ballon à Arx Orano, son second.

– À quoi penses-tu, Arx ? ajouta le capitaine.

EXTRAIT

Le tricératops fit rebondir le ballon sur la plus grande de ses trois cornes.

– Ce n'est qu'une impression, capitaine, mais je crois que cette mission pourrait bien être la plus dangereuse de toutes !

Teggs regarda Arx d'un air pensif. Les tricératops possédaient un instinct très développé, et si son second flairait les ennuis, mieux valait lui faire confiance.

– Hourra !

Iggy désigna une île plus grande que les autres.

– Voici notre destination, expliqua-t-il. L'île Nickel.

– Comme prévu, nous sommes arrivés ici en un temps record, ajouta Teggs. Reste à savoir pourquoi. Si seulement l'amiral Rosso voulait bien nous le révéler…

Rosso le barosaure était responsable de toutes les activités de l'ASD, et c'est lui qui confiait leurs missions aux Astrosaures.

EXTRAIT

– Je suis sûre qu'il ne tardera pas à entrer en contact avec nous, dit Gita en attrapant un seau et une pelle. En attendant, nous pouvons jouer un peu !

Iggy amarra la navette près d'une belle plage, et les Astrosaures sortirent se chauffer au triple soleil. L'endroit était désert. Pendant qu'Arx et Iggy escaladaient d'abruptes falaises blanches, Gita alla faire trempette. Teggs la poursuivait en l'éclaboussant avec sa grande queue hérissée de piquants. Soudain, il sentit quelque chose craquer sous ses pattes.

– Mais... ce n'est pas du sable là-dessous ! s'exclama-t-il en scrutant le fond de l'eau. On dirait des tuiles !

EXTRAIT

Gita fronça les sourcils.

– Pourquoi construire un toit sous l'eau ?

– Je ne sais pas, répondit Teggs sans cesser d'avancer.

Il plongea la tête dans les vagues pendant quelques secondes.

– Ils ont construit une rue entière sous l'eau ! bafouilla-t-il en se léchant les babines pour en éliminer le sel. Les propriétaires doivent avoir de sacrés problèmes d'humidité !

EXTRAIT

– C'est peut-être pour ça qu'ils sont tous partis, dit Gita en jetant des coups d'œil inquiets alentour.

Iggy rompit le silence :

– Hé, capitaine, venez voir...

Teggs se précipita.

– Qu'y a-t-il ?

Iggy lui montra une grande dent pointue.

– On dirait qu'il y a eu des visiteurs avant nous.

Arx examina la trouvaille d'Iggy.

– C'est une dent de carnivore, affirma-t-il. De très gros carnivore. Je n'aimerais pas croiser son propriétaire.

– Pas avant qu'il n'ait perdu toutes ses dents, en tout cas ! lança Gita en frissonnant.

– Si cet endroit est fréquenté par des carnivores, cela expliquerait que personne ne s'y aventure, dit Teggs. Nous ferions mieux de regagner le vaisseau pour enfiler nos tenues de combat.

– Finies les vacances ! soupira Iggy en tournant les talons pour ouvrir la marche.

C'est alors que le sol se mit à trembler, puis à tanguer sous leurs pattes. Les Astrosaures titubèrent.

EXTRAIT

– Que se passe-t-il ? demanda Iggy, une fois les secousses terminées. Un tremblement de terre ?

– Je ne crois pas, répondit Teggs, perplexe, en se balançant sur ses quatre énormes pattes. On dirait que l'île tout entière penche d'un côté !

Soudain, un cri puissant jaillit du transmetteur que Gita portait au poignet, suivi d'une série de grincements et de sifflements.

– Ce sont les dimorphodons, expliqua-t-elle.

Petits reptiles volants, les dimorphodons faisaient partie de l'équipage du *Sauropode*, et assuraient le fonctionnement du poste de contrôle.

– L'amiral Rosso est prêt à nous parler, maintenant, ajouta Gita.

– Dis-leur de se connecter avec notre scanner de bord, ordonna Teggs en se précipitant à l'intérieur du petit vaisseau.

Gita siffla pour répondre aux dimorphodons dans leur langue et, quelques instants plus tard, la tête de l'amiral Rosso apparut sur l'écran.

Teggs le salua, tandis que son équipage se rassemblait autour de lui.

EXTRAIT

– Je suis désolé de ne pas vous avoir parlé de cette mission plus tôt, dit Rosso. Mais je voulais vérifier certains faits.

– Et de quels faits s'agit-il exactement, monsieur ? demanda Teggs.

– L'île Nickel est la seule île d'Atlantos assez grande pour abriter la vie, commença l'amiral. C'est le pays de ces créatures pacifiques qu'on appelle bactrosaures.

L'image d'un dinosaure à l'air sévère et à bec de canard apparut sur l'écran.

– J'en ai déjà entendu parler, remarqua Gita. Ils sont connus pour être les dinosaures les plus propres de l'espace.

– C'est pourquoi ils sont venus sur Atlantos, expliqua Rosso. Ils mènent une vie très saine et très simple. Il n'y a pas de pollution ici. En fait, il n'y a pas de technologie du tout.

EXTRAIT

– Vous imaginez ! lâcha Iggy. Pas de technologie ! Ça veut dire pas de vaisseaux spatiaux, pas de machines, ni d'ordinateurs, rien de bruyant, de sale, de rapide...

Il fit une moue de dégoût.

– Quel ennui !

Rosso leva un sourcil.

– C'est peut-être ennuyeux pour vous, Iggy, mais les bactrosaures aiment ça. Tout comme les mégalodons mangeurs de viande, qu'on appelle le plus souvent les « megs » !

Teggs sentit un frisson courir le long de sa colonne vertébrale en découvrant l'image d'une créature ressemblant à un requin géant.

– Un monstre marin ! s'écria Gita.

– Je comprends maintenant d'où venait cette énorme dent ! dit Iggy. Elle a dû être charriée par les vagues. Mais comment se fait-il que les carnivores et les végétariens se partagent ce territoire ?

À suivre...

DÉCOUVRE AUSSI
LES AUTRES TITRES DE LA SÉRIE...

L'ATTAQUE DES RAPTORS

La mission des Astrosaures : garantir le bon déroulement des grandes Olympiades et assurer la sécurité des athlètes. Ennemis identifiés : les raptors, les plus dangereux carnivores de la galaxie.

Teggs et son équipage sauront-ils contrer l'attaque des raptors ?

SOS OVIRAPTORS

La mission des Astrosaures : protéger
les œufs des platéosaures, une race
de dinosaures menacée d'extinction.
Ennemis identifiés : les oviraptors, qui
se régaleraient bien des œufs en question...

Teggs et son équipage seront-ils plus forts
que les oviraptors ?

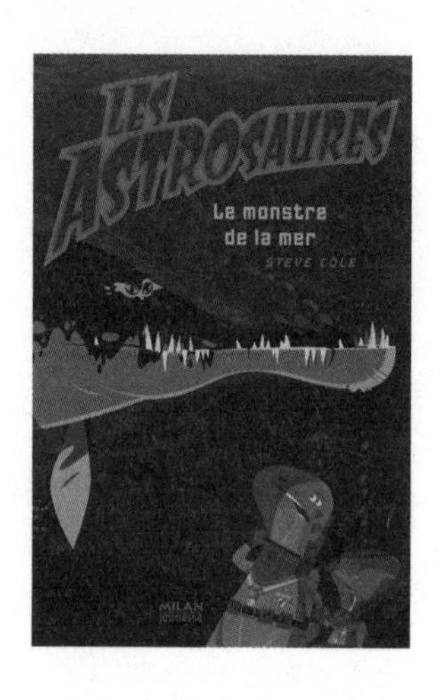

LE MONSTRE DE LA MER

La mission des Astrosaures : secourir
les habitants de la planète Aqua mineure.
Ennemis identifiés : une créature invisible qui
détruit les réserves de nourriture sous-marines.

Teggs et son équipage pourront-ils vaincre
ce mystérieux monstre de la mer ?

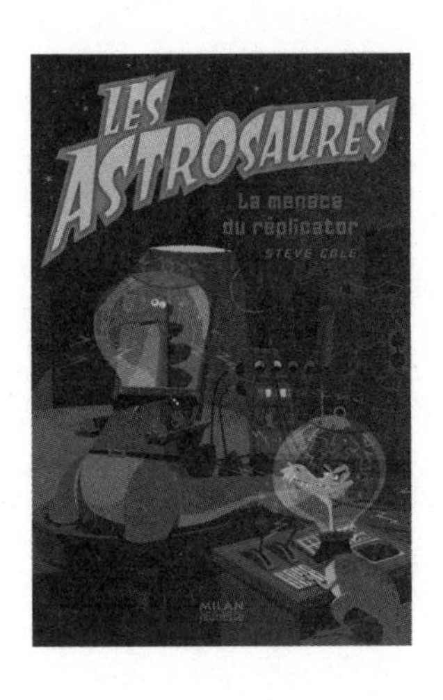

LA MENACE DU RÉPLICATOR

La mission des Astrosaures : sauver
les diplodocus de la famine.
Ennemis identifiées : de dangereux carnivores
qui possèdent une arme secrète, le réplicator.

Teggs et son équipage parviendront-ils à déjouer
la menace du réplicator ?

LA PLANÈTE DE LA PEUR

La mission des Astrosaures : aider les ptérosaures
et la reine de la planète Squawk majeure.
Ennemis identifiés : le perfide Grandum,
prêt à tout pour s'emparer du trône.

Teggs et son équipage parviendront-ils
à déjouer les plans diaboliques de Grandum ?

LES FANTÔMES DE L'ESPACE

La mission des Astrosaures : aider les diplodocus à récolter le dispium, le cristal le plus précieux de l'univers.
Ennemis identifiés : les fantômes de l'espace, bien décidés à entraver les plans des diplodocus.

Teggs et son équipage sauront-ils repousser les fantômes de l'espace ?

LES AVENTURES DES ASTROSAURES

1 - L'attaque des raptors
2 - SOS oviraptors
3 - Le monstre de la mer
4 - La menace du réplicator
5 - La planète de la peur
6 - Les fantômes de l'espace
7 - L'attaque des dinodroïdes
8 - Le piège des oizorribles